Titre original en langue anglaise :
"The Kingfisher Children's Bible"

© Grisewood & Dempsey Ltd 1993

Traduction et adaptation française : Jean Chrétien

© Éditions Fleurus, Paris 1993
pour les éditions en langue française.
Dépot légal : troisième trimestre 1993

Imprimé en Slovénie
ISBN : 2-215-019-72-7

La BIBLE des Enfants

Histoires de l'Ancien et du Nouveau Testament

Racontées par Ann Pilling
Illustrées par Kady MacDonald Denton
Adaptation : Jean Chrétien

EDITIONS
FLEURUS

SOMMAIRE

L'Ancien Testament

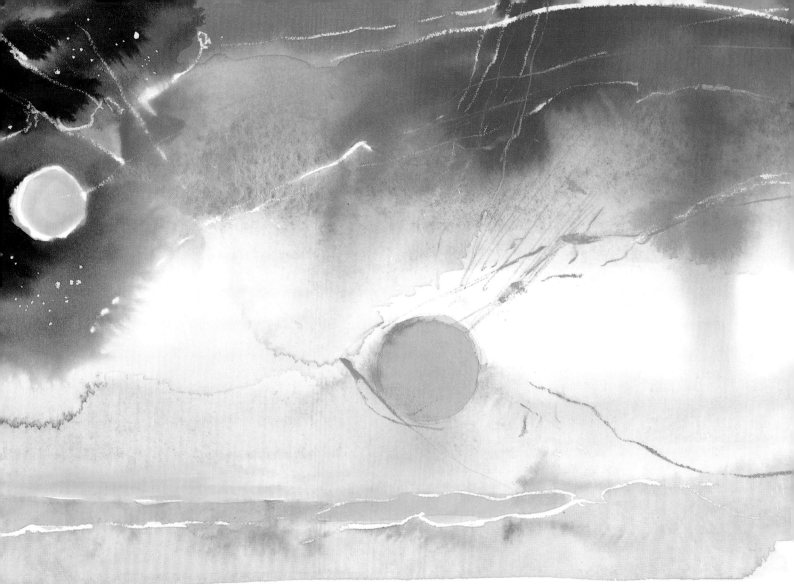

בראשית

QUI A CRÉÉ LE MONDE ?

Genèse 1, 1-31 et 2, 1-4

Qui a créé le monde et tout l'univers ? Pourquoi suis-je vivant ? Pourquoi faut-il souffrir et mourir ? Qu'est-ce que Dieu attend de moi ? A toutes ces questions, des hommes inspirés par l'Esprit de Dieu ont répondu il y a plus de trois mille ans, avec les mots et les images de leur époque.

Au commencement Dieu créa le ciel et la terre. Au début, la terre était informe et vide. Une nuit noire recouvrait tout l'univers, mais l'Esprit de Dieu soufflait au-dessus des eaux.

Dieu dit : "*Que la lumière brille !*" et la lumière fut. Dieu vit que la lumière était bonne, alors il sépara le jour de la nuit : ce fut le premier jour.

Dieu dit : "*Qu'une voûte céleste se forme au-dessus des eaux !*" Dieu appela la voûte céleste "ciel" : ce fut le deuxième jour.

Dieu dit : "*Que toutes les eaux se rassemblent dans les océans et qu'apparaissent les continents !*" Et il en fut ainsi. Dieu vit que cela était bon. Dieu dit : "*Que la terre*

ferme produise toutes les variétés de plantes et d'arbres !" Et Dieu vit que cela était bon : ce fut le troisième jour.

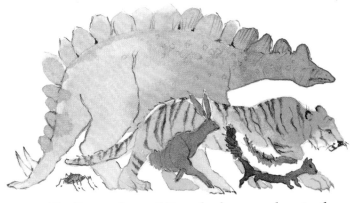

Et Dieu dit : "Que la lune et les étoiles éclairent la nuit, que le soleil règne sur le jour !" Et Dieu vit que cela était bon. Il y eut un soir, il y eut un matin : ce fut le quatrième jour.

Dieu dit : "Que la mer foisonne de toutes sortes de poissons. Que la terre produise tou-

tes les espèces d'animaux !" Dieu créa tous les insectes et bêtes sauvages. Dieu vit que cela était bon. Il les bénit en leur disant : "Ayez des petits, multipliez-vous, remplissez la mer et la terre ferme." Il y eut un soir, il y eut un matin : ce fut le cinquième jour.

Dieu dit : "Faisons l'homme à notre image !" Alors Dieu créa l'être humain à son image. Homme et femme il les créa afin qu'ils lui ressemblent.

Dieu bénit l'homme et la femme et il leur dit : "Je vous confie toute ma création. Ne faites plus qu'un seul être. Ayez des enfants, multipliez-vous. Remplissez la terre."

Dieu vit tout ce qu'il avait fait : c'était très bon. Il y eut un soir, il y eut un matin : ce fut le sixième jour.

Le septième jour Dieu se reposa. Il se reposa sur l'homme de toute l'œuvre qu'il avait faite.

POURQUOI TOUT CE MAL ?

Genèse 3, 1-24

Dieu a créé le monde par amour. Tout ce qu'il a fait *était très bon*. Alors, comment le mal est-il entré dans le cœur des hommes ? Dans son amour infini, Dieu laisse les hommes libres d'accepter ou de rejeter le bonheur qu'il leur propose. Mais l'Esprit du mal nous pousse à refuser le projet de Dieu en nous faisant croire que, par nos propres forces, nous pouvons être les maîtres du monde. Le secret du bonheur c'est d'aimer à l'image de Dieu. Le secret de notre malheur, c'est de refuser de faire confiance à Dieu.

Le nom du premier homme est Adam, ce qui veut dire "né de la terre". Le nom de la première femme est Eve, ce qui veut dire "la vivante".

Dieu leur confia un jardin paradisiaque, l'Eden, avec pour mission d'en prendre soin et de le mettre en valeur. Au milieu du jardin, Dieu plaça l'arbre de vie et l'arbre de la connaissance du bien et du mal.

" *Vous pouvez manger les fruits de tous les arbres du jardin*, dit Dieu, *mais l'arbre de la connaissance du bien et du mal, surtout n'en mangez pas. Sinon, vous connaîtrez la souffrance et la mort !*"

Malheureusement, l'Esprit du mal sous l'apparence d'un serpent dit à Eve : "*Dieu vous interdit de manger les fruits des arbres du jardin ?*" "Mais si, répondit Eve, *nous pouvons manger tous les fruits que nous voulons ! Sauf, bien entendu, les fruits de l'arbre qui est au milieu du jardin car alors nous deviendrions mortels.*"

Le serpent lui rétorqua: "*Mais ce n'est pas vrai du tout ! Dieu sait très bien que si vous en mangez vous deviendrez comme des dieux, vous saurez tout et vous serez aussi puissants que lui !*"

Alors Eve prit le fruit dans sa main. Elle le trouva très appétissant et elle en eut envie parce qu'il donnait la maîtrise du monde. Elle le mangea. Puis elle en offrit à Adam, qui en mangea aussi.

Ils entendirent Dieu, qui venait leur rendre visite à la brise du jour. Aussitôt ils se cachèrent, tellement ils avaient honte.

Dieu appela Adam : *"Pourquoi te caches-tu ? Pourquoi refuses-tu de me voir ? Aurais-tu par malheur mangé du fruit défendu ?"* *"C'est la femme que tu m'as donnée qui m'a poussé à le faire"* répondit Adam.

Dieu dit à la femme : *"Malheureuse, qu'as-tu fait là !"* *"C'est le serpent qui m'a trompée"*, répondit Eve. Alors Dieu leur dit : *"Parce que vous n'avez pas voulu me faire confiance, à partir de maintenant c'est dans la souffrance que vous devrez travailler et élever vos enfants. Votre corps a été tiré de la terre et il y retournera puisque désormais vous mourrez."*

Et Dieu, les livrant à eux-mêmes, chassa Adam et Eve de l'Eden, mais avec la promesse d'envoyer un Sauveur qui ramènera l'humanité au cœur de Dieu.

POURQUOI TANT DE VIOLENCE ENTRE NOUS ?

Genèse 4, 1-17

Lorsque les hommes se coupent de l'amour de Dieu, ils se dressent les uns contre les autres, parce qu'ils rendent le mal pour le mal, ils vivent en frères ennemis. Annonçant déjà le Sauveur du monde, Abel est la première victime innocente du mal qui ronge notre cœur.

Adam et Eve eurent deux enfants. Ils appelèrent l'aîné Caïn et l'autre Abel. Caïn devint cultivateur et Abel, berger.

Au moment de la moisson, Caïn offrit à Dieu les premiers épis de sa récolte. De son côté, Abel offrit les premiers-nés de son troupeau. Or Dieu accepta les présents d'Abel mais il dédaigna ceux de Caïn. Caïn en ressentit une vive jalousie.

Alors Dieu lui dit : *"Pourquoi cette colère dans ton cœur ? Si tu agis bien, tu peux te réjouir, sinon le péché envahira ton cœur. A toi de dominer ton penchant vers le mal."*

Mais Caïn dit à son frère : *"Allons faire un tour dans la campagne."* Quand ils furent dans un lieu isolé, il le tua.

Un peu plus tard Dieu dit à Caïn : *"Où est ton frère Abel ?"* Il lui répondit *"Je ne sais pas, suis-je chargé de le surveiller ?"* Mais Dieu reprit : *"Malheureux ! Qu'as-tu fait de ton frère ! Tu n'es plus digne de rester en ma présence !"* Alors Caïn partit en exil, loin de la présence de Dieu.

LE PÉCHÉ SUBMERGE L'HUMANITÉ

Genèse 6, 1 à 9, 17

Le péché entraîne le péché, le mal entraîne le mal. Coupés de la source d'amour qu'est Dieu, les hommes deviennent de plus en plus inhumains au point que l'humanité finit par s'autodétruire.

Des siècles et des siècles après que Caïn fut parti à l'aventure, Dieu constata que toutes les pensées du cœur des hommes allaient vers le mal, à longueur de journée.

Cependant, il y avait quand même un homme juste et bon. Il s'appelait Noé. De tout son cœur, il désirait faire la volonté de Dieu.

Le Seigneur dit à Noé : *"La terre déborde de violence à cause des hommes, cela ne peut plus durer. Toute l'humanité va être engloutie. Mais toi, construis une arche, un immense navire. Quand le déluge qui doit submerger la terre arrivera, tu entreras dans l'arche, avec toute ta famille. Tu prendras aussi un couple de chaque espèce d'animaux pour les préserver."*

Noé fit tout ce que Dieu lui avait demandé de faire. Il s'installa dans l'arche, avec ses fils, sa femme et les femmes de ses fils. Il fit entrer dans l'arche un couple de tous les animaux, du serpent aux oiseaux du ciel.

l'arche et lâcha une colombe pour savoir si la terre était sèche. La colombe ne put se poser sur la terre inondée et revint vers lui. Il attendit encore sept jours et lâcha de nouveau la colombe. Le soir même, la colombe revint avec dans son bec un rameau d'olivier où les feuilles venaient

Et le Seigneur ferma lui-même la porte du navire.

Alors la pluie se mit à tomber en déluge pendant quarante jours. Les eaux montèrent et l'arche se mit à flotter. Les eaux grossirent encore au point de noyer même les plus hautes montagnes. Tous les êtres vivants qui ne s'étaient pas réfugiés dans l'arche de Noé périrent sous les eaux.

Au bout de cinq mois, le niveau commença à baisser et l'arche s'échoua au sommet du mont Ararat. Après quarante jours d'attente, Noé ouvrit une fenêtre de

juste d'éclore, comme au printemps. Une semaine plus tard, il la lâcha de nouveau, elle ne revint plus : la terre était sèche.

Alors Dieu dit à Noé : "*Sors de l'arche et rends la liberté à tous les animaux, qu'ils repeuplent la terre entière.*"

Puis le Seigneur bénit Noé et toute sa famille : "*Soyez féconds, remplissez la terre. Vous avez été créés à mon image : soyez créateurs à votre tour. Voici que j'établis mon Alliance avec vous et avec tous vos descendants de génération en génération : je veillerai à ce que plus jamais la vie ne soit détruite sur la terre.*" Et Dieu ajouta : "*Voici le signe de l'Alliance que je fais avec tous les hommes de tous les temps : je mets un arc dans le ciel. Lorsque je verrai cet arc dans la nuée, je me souviendrai de l'Alliance éternelle entre le ciel et la terre, entre l'humanité et moi.*"

Pourquoi les Hommes n'Arrivent-ils pas a s'Entendre ?

Genèse 11, 1-9

La Tour de Babel que nous essayons maladroitement de construire, c'est notre bonheur. Elle s'écroule parce que, comme Adam et Eve, nous voulons être "comme des dieux" et que nous croyons que par nos propres forces nous parviendrons "jusqu'au ciel". Mais, pour construire la cité du bonheur, ne faudrait-il pas d'abord faire la volonté de Dieu ?

A cette époque, tout le monde parlait la même langue et vivait dans la même contrée. Or les hommes trouvèrent, en Orient, une magnifique vallée encore inexplorée. Ils décidèrent de s'y établir. Mais bientôt ils se dirent entre eux : *"Ayons un seul nom et bâtissons une ville, avec une tour formidable dont le sommet ira dans les cieux !"*

Or, le Seigneur Dieu descendit pour regarder ce que les hommes faisaient. Il vit la tour que les hommes construisaient. Alors il se dit : *"Tous les hommes de la terre forment un seul peuple et parlent une seule langue. Et voilà que dans leur cœur naissent des idées folles. Qu'est-ce qu'ils ne vont pas encore inventer ! Il est grand temps d'intervenir : mettons la confusion dans leur langage, qu'ils ne puissent plus se comprendre les uns les autres, et dispersons-les sur toute la surface de la terre !"*

Et Dieu fit ce qu'il avait dit. On appela ce lieu Babel, ce qui veut dire "confusion", parce que c'est là que les peuples de la terre commencèrent à ne plus se comprendre et qu'ils se séparèrent.

Dieu Cherche l'Elu de son Cœur

Genèse 11, 28 à 15, 6

Il y a quatre mille ans, un homme ose tout abandonner pour répondre à l'appel de Dieu : c'est Abraham, "le Père des croyants". Grâce à la foi d'Abraham, Dieu va constituer un peuple, le peuple juif, qui, après une longue préparation, verra naître le Sauveur du monde. Oui, vraiment, avec Abraham commence la plus grande aventure de tous les temps.

Dans la région d'Ur (en Irak), un homme s'appelait Terah. Il avait trois fils : Haran, Abram et Nahor. Abram épousa Saraï, qui ne pouvait malheureusement pas avoir d'enfant.

Le Seigneur Dieu s'adressa à Abram : *"Quitte ton pays, ta famille, la maison de ton père, et pars pour le pays que je t'indiquerai. Je ferai de toi le père d'un grand peuple, je te bénirai ainsi que toute ta descendance. Ton nom demeurera célèbre pour toujours."*

Comme Dieu le lui avait demandé, Abram se mit en route. Il emmena avec lui Saraï sa femme, Lot son neveu, ses troupeaux et tous ses biens. Après avoir traversé le pays de Canaan (la Palestine),

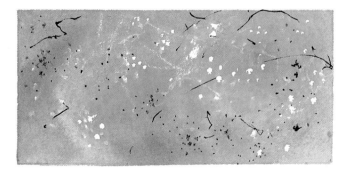

il s'arrêta à l'endroit appelé Sichem, près du Chêne de Moré.

De nouveau le Seigneur Dieu lui apparut et lui dit : *"Je te donnerai ce pays, à toi et à tes descendants."*

Abram et Lot, son neveu, étaient tous les deux très riches. Ils possédaient d'immenses troupeaux, de l'argent et de l'or. Cependant, alors qu'ils traversaient le désert du Néguev, une dispute éclata entre les bergers d'Abram et ceux de Lot. Alors Abram dit : *"Il ne faut pas qu'il y ait de querelles entre nous car nous sommes comme des frères. Séparons-nous : va où tu veux. Si tu vas à gauche, j'irai à droite. Si tu vas à droite, j'irai à gauche."* Lot scruta l'horizon et il aperçut la vallée verdoyante où cou-

lait le Jourdain. Alors Lot choisit d'aller s'installer là-bas, près de la ville de Sodome. Quant à Abram, il s'éloigna vers l'Est, près de la ville d'Hébron.

Après ces événements, Dieu dit à Abram : *"Ne crains rien car je suis avec toi, comme un bouclier qui protège. La récompense que je te donnerai sera incalculable !"* Abram répondit : *"Seigneur, je suis déjà vieux et je n'ai même pas d'enfant à qui*

transmettre ce que tu veux me donner..."
Alors Dieu reprit : *"Et pourtant, c'est ton fils qui héritera de toi. Regarde le ciel et compte les étoiles si tu le peux : eh bien, ta descendance sera aussi nombreuse que toutes les étoiles du ciel !"* Et Abram crut en la promesse du Seigneur.

DIEU
FAIT ALLIANCE

Genèse 17, 1-22

> Il n'est question que d'Alliance dans la Bible. Chacun est libre de l'accepter ou de la refuser. Quand elle est trahie par la faiblesse humaine, c'est toujours Dieu qui prend l'initiative de la renouer.
> L'Alliance parfaite sera scellée en Jésus-Christ, vrai Dieu et vrai homme, et vécue dans l'Eglise, Peuple de Dieu.

Quand Abram eut atteint quatre-vint-dix-neuf ans, le Seigneur Dieu lui apparut et lui dit : *"Je suis le Dieu tout-puissant, j'établis mon Alliance entre toi et moi, tu de-viendras le père d'une multitude de peuples. A partir de maintenant, on ne t'appellera plus Abram mais Abraham (ce qui veut dire : "Père d'une multitude"). Je serai ton Dieu et celui de ta descendance après toi, de génération en génération. A toi et à ta des-cendance, je donnerai tout le pays de Canaan.* Dieu dit encore à Abraham : *"Désormais, tu n'appelleras plus ta femme Saraï mais Sara (c'est-à-dire "princesse"). Je la bénirai en te donnant un fils par elle.*

Elle donnera naissance à des nations, des rois descendront d'elle." Abraham se prosterna, mais il se mit à rire en se disant : *"Un homme de cent ans peut-il avoir un enfant avec une femme de quatre-vingt-dix ans !"* Mais Dieu reprit : *"Oui, vraiment, ta femme te donnera un fils que tu appelleras Isaac ; j'établirai mon Alliance avec lui et avec sa descendance."*

UN SEUL JUSTE
PEUT
SAUVER
LE MONDE

Genèse 18, 16 à 19, 29

En toute justice, le péché devrait conduire tous les hommes à une mort irrémissible. Mais Dieu continue, malgré toutes nos infidélités, à nous aimer. Il est sensible aux prières que nous faisons les uns pour les autres, mais surtout, il commence à préparer la venue du Juste par excellence, le Messie, en essayant de faire comprendre que le salut de toute l'humanité sera obtenu grâce à un seul homme.

Comme Abraham marchait vers la ville de Sodome, où vivait Lot, le Seigneur Dieu lui dit : *"Les péchés des habitants de Sodome sont insupportables, j'ai entendu une immense plainte à leur propos, je dois intervenir pour faire cesser ce scandale."*

Abraham lui répondit : *"Vas-tu vraiment punir les justes avec les pécheurs ? Peut-être y a-t-il cinquante justes dans la ville : est-ce-que tu ne pardonneras pas à la ville entière à cause de ces cinquante justes ? Quelle horreur si tu faisais une chose pareille! Faire mourir le juste avec le pécheur: celui qui juge le ciel et la terre va-t-il commettre une telle injustice ?"*

"Si je trouve cinquante justes dans la ville, répondit Dieu, *à cause d'eux je pardonnerai à tous les autres."*

Abraham reprit : *"Oserai-je encore parler à mon Seigneur, moi qui suis moins que rien ? Peut-être sur les cinquante en manque-t-il cinq ? Tu ne vas pas la détruire pour ces cinq-là…"*

Dieu répondit : *"Non, je ne la détruirai pas."*

Abraham insista : *"Peut-être n'en trouvera-t-on que quarante ?"*

"Pour ces quarante, j'épargnerai la ville", répondit le Seigneur.

Abraham dit : *"Ne te mets pas en colère contre moi : peut-être n'y en aura-t-il que trente ?"*

"S'il y en a trente, tous seront sauvés", répondit le Seigneur Dieu.

Abraham reprit : *"Je vais me décider à parler quand même à mon Seigneur, peut-être n'y en a-t-il que vingt ?"*

"Pour vingt je ne la détruirai pas."

Abraham reprit : *"Que mon Seigneur et mon Dieu ne s'exaspère pas, je parle pour la dernière fois : peut-être n'y en a-t-il finalement que dix ?"*

"Pour ces dix, je ne détruirai pas la ville de Sodome", répondit le Seigneur.

A l'aurore, deux anges poussèrent Lot à fuir la ville : *"Debout ! vite ! emmène ta femme et tes deux filles, si tu ne veux pas périr avec toute la ville."* Comme il hésitait, ils l'entraînèrent de force en dehors de la ville avec sa femme et ses filles, parce que le Seigneur voulait l'épargner.

Ils lui dirent encore : *"Sauve-toi si tu tiens à la vie ! Ne regarde pas en arrière, ne t'arrête pas, si tu ne veux pas mourir ! Va vers la montagne !"*

Lot supplia Dieu : *"Je n'arriverai jamais en montagne vivant ! Laisse-moi aller dans une ville plus proche."*

Il se réfugia dans une petite ville, Soar, non loin de Sodome, et Dieu décida d'épargner cette ville à cause de la présence de Lot dans ses murs.

Le soleil se levait à peine quand Dieu fit tomber du ciel une pluie de soufre et de feu qui détruisit Sodome et toutes les localités avoisinantes, sauf Soar.

Or la femme de Lot ne put résister à la tentation de revenir en arrière pour regarder le spectacle.

Alors, selon la parole des anges, elle fut transformée en statue de sel.

Quand Abraham revint vers Dieu, il vit la destruction de Sodome et de sa région. Mais Dieu s'était souvenu d'Abraham, il avait retiré Lot du fléau.

LE SACRIFICE DU FILS UNIQUE

Genèse 22, 1-19

Dieu ayant accompli sa promesse, Abraham va-t-il couler des jours heureux avec Sara et Isaac ? Non, car Dieu veut une dernière fois mettre sa foi à l'épreuve : il lui demande de sacrifier son fils ! Abraham ne comprend plus rien, mais il obéit. Sans doute Dieu par cette leçon veut-il que son peuple élu cesse les sacrifices humains qui sont fréquents à l'époque. Mais, là encore, Dieu annonce la venue de son Fils unique qui montera sur le calvaire en portant le bois de sa croix pour faire le sacrifice de sa vie...

Sara conçut et enfanta un fils. Ses parents lui donnèrent le nom d'Isaac (c'est à dire "le sourire de Dieu"), comme Dieu l'avait demandé.

Quand Isaac fut grand, Dieu dit à Abraham : *"Abraham ! Abraham !"* Il lui répondit : *"Me voici !"* Dieu dit : *"Prends ton fils, ton fils unique, celui que tu aimes tant, va au pays de Moriah et offre-le en sacrifice au sommet de la montagne."*

Dès l'aube, Abraham se leva, il sella son âne et prépara du bois pour le feu du sacrifice. Puis il se mit en route avec son fils, vers la montagne.

Arrivé en bas de la montagne, Abraham demanda à Isaac de porter le bois pour le sacrifice. Lui-même portait le couteau et les braises pour allumer le feu. Ils se mirent en marche.

Pendant qu'ils gravissaient la pente, Isaac dit à Abraham : *"Père, je vois bien le bois et le couteau, mais où est l'agneau pour le sacrifice ?"* Abraham lui répondit : *"Ne t'inquiète pas, Dieu s'en occupera lui-même"*, et ils continuèrent à marcher.

En haut de la montagne, Abraham construisit un autel sur lequel il disposa le bois. Puis il attacha son fils au-dessus du bûcher. Prenant son couteau, il leva la main pour sacrifier Isaac. Mais le Sei-

gneur l'appela du Ciel : *"Abraham ! Abraham !"* Abraham arrêta son geste et dit : *"Me voici !"* Dieu dit : *"Ne frappe pas ton fils, ne lui fais aucun mal : je sais maintenant que ta foi en Dieu est grande puisque tu n'as pas hésité à me sacrifier ton fils unique."*

Après avoir délié Isaac, Abraham aperçut un bélier qui s'était pris les cornes dans un arbuste. Il le captura et l'offrit en sacrifice à la place de son fils. Ensuite, ils revinrent à Bersabée, où ils résidaient.

LE MARIAGE D'ISAAC

Genèse 24

Abraham était devenu un vénérable vieillard et Dieu l'avait comblé de ses bénédictions.

Un jour, il fit appeler le chef de ses serviteurs et il lui dit : *"Jure-moi devant Dieu qu'après ma mort tu ne donneras pas à mon fils une femme cananéenne. Mais qu'au contraire tu retourneras dans mon pays d'origine, en Mésopotamie, et là tu choisiras une femme pour Isaac."*

Le serviteur lui demanda: *"D'accord, mais peut-être que la femme ne voudra pas quitter son pays pour venir s'installer en Palestine. Devrais-je alors ramener ton fils et toute ta tribu dans le pays que tu as quitté ?"* *"Surtout pas lui répondit Abraham, le Dieu du ciel et de la terre m'a fait quitter le pays de mes ancêtres et m'a fait la promesse de donner ce pays-ci à ma descendance. En aucun cas ne ramène mon fils là-bas."*

Le serviteur prit dix chameaux de son maître, il les chargea de cadeaux et se mit en route pour la ville de Nahor. Parvenu devant les murailles de la ville, il s'arrêta près du puits où les habitants venaient puiser l'eau.

Alors, il se mit en prière : *"Seigneur, Dieu de mon maître Abraham, la première jeune fille qui viendra puiser de l'eau, je lui dirai : 'Donne-moi à boire !'. Si elle me répond : 'Bois et je donnerai aussi à boire à tes chameaux', je saurai que c'est elle que tu destines à Isaac."*

Comme il priait encore, une jeune fille sortit de la ville, la cruche sur l'épaule. Elle était très belle et son nom était Rébecca. Elle s'approcha du puits et remplit sa cruche.

Aussitôt, l'envoyé d'Abraham vint à elle et lui dit : *"Donne-moi à boire."* Elle répondit : *"Bois, mon Seigneur"*, et elle lui tendit sa cruche. Quand il eut fini de boire, elle lui dit : *"Je vais puiser aussi pour tes chameaux et leur donner à boire."* Pendant

qu'elle s'activait, le serviteur la regardait en silence.

Quand les chameaux furent désaltérés, il lui offrit un anneau et deux bracelets en or, en disant : *"De qui es-tu la fille ? Crois-tu que nous pouvons passer la nuit chez ton père ? "*

"Je suis la fille de Bétuel (un neveu d'Abraham), et il y a chez nous du fourrage en quantité et toute la place qu'il faut pour vous héberger", répondit Rébecca.

Alors le serviteur rendit grâce à Dieu en disant : *"Béni sois-tu Seigneur, tu as prouvé ta bonté pour mon maître Abraham en guidant mes pas dans la maison de sa famille."*

La jeune fille courut chez elle annoncer ce qui était arrivé. Aussitôt, son frère Laban partit à la rencontre de l'envoyé d'Abraham et lui dit : *"Viens, béni de Dieu, notre maison est prête pour t'accueillir ! "*

Une fois installé, le serviteur expliqua le but de sa mission et raconta comment sa prière avait été exaucée par la venue de Rébecca.

Et il ajouta : *"Maintenant que vous savez tout, dites-moi si vous acceptez de montrer votre bienveillance à mon maître en laissant Rébecca devenir la femme d'Isaac."*

Laban et Bétuel répondirent : *"Nous ne pouvons pas nous opposer à la volonté du Seigneur Dieu : Prends Rébecca et pars avec elle, qu'elle devienne la femme d'Isaac comme le souhaite le Seigneur Dieu."*

A ces paroles, le serviteur d'Abraham rendit grâce à Dieu. Puis il couvrit Rébec-

ca de vêtements somptueux et de bijoux d'or. Il fit aussi de riches cadeaux à toute sa famille.

Dès le lendemain, accompagnée de Rébecca, la caravane repartit pour le pays de Canaan, là où résidaient Abraham et Isaac.

Or Isaac était sorti pour se promener dans la campagne à la tombée du jour. Levant les yeux, il aperçut au loin la caravane qui venait vers lui.

Bientôt Rébecca découvrit Isaac : *"Qui est cet homme ?"* demanda-t-elle au serviteur. *"C'est mon maître"*, répondit-il. Et il raconta à Isaac tout ce qui s'était passé depuis son départ.

Alors Isaac regarda Rébecca, il l'aima et la prit pour femme.

JACOB ET ESAÜ

Genèse 25

Dieu nous prend comme nous sommes, avec nos qualités et nos défauts.
Jacob est malin et retors ? Qu'à cela ne tienne : un jour Dieu le prendra à bras-le-corps et convertira ses défauts en qualités pour faire avancer son Alliance (voir "le combat de Jacob").

Après la mort d'Abraham, Dieu bénit Isaac ; et Isaac s'installa près du puits de Lahaï Roï (en bordure du désert du Néguev). Or il était tout triste parce que sa femme ne lui donnait pas d'enfant. Mais il pria Dieu et sa prière fut exaucée : quand il eut soixante ans, Rébecca mit au monde des jumeaux. Elle appela le premier Esaü : il était roux et couvert de poils. Le deuxième fut appelé Jacob.

Les deux garçons grandirent. Esaü devint un habile chasseur. Quant à Jacob, il préférait rester tranquille à la maison. Or Isaac préférait Esaü tandis que Rébecca aimait plutôt Jacob.

Un jour Jacob s'apprêtait à manger une soupe quand Esaü arriva affamé par une journée de chasse : *"Laisse-moi avaler ta soupe,* dit-il à son frère, *je suis épuisé."*

Jacob lui répondit : *"D'accord, mais je te l'échange contre ton droit d'aînesse."* (En ce temps-là, c'était l'aîné de la famille qui recevait tout l'héritage.)

Esaü reprit : *"Que m'importe mon droit d'aînesse puisque je meurs de faim !"*

Et il lui jura de lui abandonner son droit. Alors Jacob lui donna du pain et du bouillon de lentilles.

Quand Isaac fut devenu vieux, il devint aveugle. Sentant sa mort prochaine, il fit venir son fils Esaü pour lui donner sa bénédiction, car c'est lui qui devait prendre sa suite comme chef de famille.

"Prends ton arc et va à la chasse, ramène-moi du gibier, lui dit-il, *nous le mangerons ensemble et ensuite je te bénirai."*

Rébecca, qui avait tout entendu, dit à Jacob : *"Dépêche-toi, va au troupeau me chercher deux chevreaux et je préparerai pour ton père un plat comme il les aime. Tu le mangeras avec lui et ensuite c'est toi qu'il bénira à la place d'Esaü."*

Jacob dit à sa mère : *"Mais Esaü est couvert de poils et ma peau est lisse. Si mon père me touche il s'apercevra de la tromperie."* *"Fais-moi confiance !"* lui rétorqua Rebecca.

Elle prépara donc le repas et revêtit jacob des habits d'Esaü. Puis elle lui mit des peaux de chevreaux sur les bras, les mains et le cou.

Jacob entra chez Isaac et lui dit : *"Mon Père !" "Qui es-tu ?"* répondit le vieil homme aveugle.

"Je suis Esaü, ton fils aîné ; j'ai fait ce que tu m'as dit, je t'apporte le gibier et je viens recevoir ta bénédiction", dit Jacob.

Isaac lui dit : *"Approche mon fils que je te touche pour savoir si tu es bien Esaü !"* Puis il reprit : *"Ta voix est celle de Jacob, mais tes mains sont poilues comme celles d'Esaü."*

Alors il le bénit...

Peu après, Esaü rentra de la chasse et se présenta devant son père.

"Qui es-tu ?" demanda Isaac.

"Je suis Esaü, ton fils aîné !"

Alors Isaac se mit à trembler d'émotion : *"Qui donc alors m'a apporté à manger et a reçu ma bénédiction à ta place ?"*

Quand Esaü comprit qu'il avait été trompé par son frère, il se mit à hurler : *"Bénis-moi aussi, Père !"*

Mais Isaac répondit : *"Je ne peux plus rien pour toi mon Fils, c'est ton frère qui a reçu ma bénédiction, il est désormais ton maître et c'est lui qui recevra tout mon héritage."*

Alors Esaü se mit à pleurer et, depuis ce jour, il détesta son frère et il jura de le tuer.

LE RÊVE DE JACOB

Genèse 28

Dieu n'est pas retiré dans son Olympe, se désintéressant de ce qui se passe sur terre : l'Alliance divine établit une incessante communication entre Dieu et les hommes, comme s'il y avait une échelle entre le ciel et la terre. Même si nous ne le savons pas, Dieu est présent parmi nous, la terre est vraiment "la maison de Dieu".

Rébecca, sachant qu'Esaü avait juré la mort de son frère, envoya Jacob vers la région d'Harrane (ville du nord de la Mésopotamie, en Irak actuel).

La première nuit, comme il était en route, il se coucha à la belle étoile et s'endormit.

Il se mit à rêver : une échelle était posée sur la terre et son sommet touchait le ciel ; des anges de Dieu montaient et descendaient.

Le Seigneur se tenait à côté de lui et il lui dit : *"Je suis le Dieu d'Abraham le père des croyants, le Dieu d'Isaac. La terre où tu es couché, je te la donne, à toi et à tes descendants. Tes descendants seront aussi nombreux que les graines de sable du sol. Grâce à toi et à ta descendance tous les peuples de la terre seront bénis. Voici que je suis avec toi. Je ne t'abandonnerai pas avant d'avoir accompli toutes mes promesses."*

Jacob se réveilla en sursaut et s'écria : *"Vraiment le Seigneur est présent en ce lieu et je ne le savais pas !"* Saisi de crainte il se disait : *"Ce lieu est vraiment la maison de Dieu, la porte du ciel !"*

Au petit matin, jacob se leva, il prit la pierre qui lui servait d'oreiller et la dressa pour en faire un monument commémoratif.

Avant de reprendre la route, il fit ce vœu : *"Si Dieu reste avec moi et me protège pendant ce voyage et si je reviens sain et sauf à la maison de mon père, alors le Seigneur sera mon Dieu et je lui serai fidèle."*

RACHEL ET LÉA

Genèse 29-30

Au bout de son voyage, Jacob parvint près d'Harrane et voici qu'il rencontra des bergers. Il les questionna : *"Connaissez-vous mon oncle Laban qui habite la région ?"* Ils répondirent : *"Bien sûr ! d'ailleurs voici sa fille Rachel qui vient vers nous."*

Jacob s'approcha de Rachel et l'embrassa.

D'émotion, il se mit à pleurer en lui racontant qu'il était le fils de Rébecca, la sœur de Laban. Aussitôt, Rachel courut avertir son père. Alors Laban partit à la rencontre de Jacob, le prit dans ses bras, le couvrit de baisers et l'installa dans sa maison.

Jacob se mit à travailler au service de Laban. Il ne voulait pas être payé, mais Laban insista pour lui verser un salaire. Or, il avait deux filles, Léa et Rachel. Rachel était la plus belle et Jacob l'aimait. Il dit à Laban : *"Je veux bien travailler pour toi pendant sept ans si à la fin tu me donnes en mariage ta fille Rachel !"*

Ainsi Jacob travailla sept ans pour l'amour de Rachel... Mais, quand les sept

ans furent écoulés, Laban trompa Jacob : il organisa bien le mariage, mais, au dernier moment, il remplaça Rachel par Léa, la plus âgée des deux sœurs !

Furieux, Jacob apostropha son oncle : *"Pourquoi n'as-tu pas tenu ta parole ?"*

"Je ne pouvais pas faire autrement, lui répondit Laban, *car nos lois interdisent de marier la plus jeune avant l'aînée. Cependant tu peux avoir Rachel, mais à condition de travailler encore sept ans à mon service !"*

Et Jacob dut travailler quatorze ans pour pouvoir se marier avec la femme qu'il aimait...

Rachel donna un fils à Jacob, ils l'appelèrent Joseph. Après sa naissance, Jacob dit à Laban : *"Laisse-moi partir, que je retourne dans mon pays."* Comme Laban s'y opposait, le Seigneur dit à Jacob : *"Retourne au pays que j'ai donné à tes pères et à ta descendance, je serai avec toi !"*

Alors Jacob s'enfuit en cachette avec toute sa famille et ses troupeaux.

Le troisième jour, Laban apprit que Jacob s'était enfui. Il prit ses frères avec lui et le poursuivit pendant sept jours. Quand il l'eut rejoint, ils commencèrent par se disputer, mais finalement ils se réconcilièrent et firent un pacte d'amitié. Jacob reprit alors sa route vers le pays de Canaan.

Jacob se Réconcilie avec Esaü

Genèse 32-33

Chacun de nous l'a expérimenté, suivre Dieu est difficile, il faut se battre contre soi-même : la vie du croyant est un combat permanent. Mais cette lutte nous change complètement (nous convertit) ; ainsi jacob, qui se préparait à une guerre fratricide, se réconcilie avec son frère...

Plus Jacob approchait de la maison de son père, plus il redoutait ses retrouvailles avec Esaü. Son frère n'allait-il pas le tuer comme il se l'était promis ?

Pour amadouer son frère, il lui envoya des émissaires avec des cadeaux de grand prix : bœufs, ânes, moutons, serviteurs et servantes.

Or, la nuit même, quelqu'un le réveilla et lutta avec lui jusqu'à l'aube. L'homme, voyant qu'il ne prendrait pas le dessus, lui déboîta la hanche à la fin du combat.

Puis le mystérieux combattant lui dit : *"Laisse-moi maintenant, il fait jour !"* Mais Jacob répliqua : *"Je ne te laisserai pas tant que tu ne m'auras pas béni."* L'homme demanda : *"Quel est ton nom ?"*

"Jacob", répondit-il.

"A partir de maintenant, on ne t'appellera plus Jacob mais Israël parce que tu as lutté contre Dieu et tu as vaincu." C'est depuis ce moment-là que les descendants de Jacob sont appelés les Fils d'Israël ou les Israélites.

Le jour s'étant levé et le combattant de la nuit ayant disparu, Jacob aperçut au loin Esaü qui approchait avec une troupe de quatre cents hommes. Il eut grand-peur de la colère de son frère et se prosterna sur le sol.

Mais Esaü courut vers lui, se jeta à son cou et l'embrassa en pleurant. Jacob lui

présenta alors sa famille tout entière ; Léa et ses enfants, Rachel et son fils Joseph.

Puis Esaü demanda à son frère : *" Pourquoi tous ces bestiaux sont-ils rassemblés ici ?"*

"C'est un cadeau que je veux te faire", répondit jacob.

"C'est inutile, je suis riche et j'ai tout ce qu'il me faut, dit Esaü, garde-les pour toi."

Mais Jacob insista : *"Non, je t'en prie ! accepte les présents que je t'ai apportés, en effet, j'ai affronté ta présence comme celle de Dieu et tu m'as bien reçu."*

Depuis ce moment-là, les deux frères furent réconciliés.

JOSEPH VENDU PAR SES FRÈRES

Genèse 37

En lisant l'histoire de Joseph, comment ne pas penser à nos difficultés à vivre en frères ? Chacun de nous a une immense soif d'être aimé vraiment. Devant les "préférés" ou les "vantards", la jalousie peut naître, violente ou sournoise, et inspirer des folies. Comment ne pas penser aussi à Jésus qui sera vendu par un ami et qui pourtant sauvera tout son peuple ?

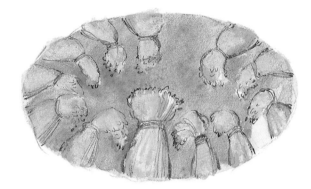

Jacob eut douze garçons (dont les descendants formèrent les douze tribus d'Israël). Ruben était l'aîné, Benjamin le plus jeune. Mais Jacob aimait Joseph plus que tous ses autres enfants et il lui fit broder une tunique de grand prix. Aveuglés par la jalousie, ses frères se mirent à le détester et ils ne lui parlaient que pour l'insulter.

Un jour, Joseph raconta à ses frères un

rêve qu'il avait fait : *"Nous étions en train de lier des gerbes à la moisson, et voici que ma gerbe se leva et se tint debout. Alors vos gerbes l'entourèrent et se prosternèrent devant elle."*

Ses frères l'injurièrent : *"Tu voudrais donc être notre roi et nous dominer comme des esclaves !"* Et ils le haïrent encore plus à partir de ce jour.

Mais Joseph eut un autre songe qu'il raconta aussi à ses frères : *"J'ai vu le soleil,* la lune et onze étoiles se prosterner devant moi !"

Son père, qui apprit la chose, le réprimanda : *"Qu'est-ce que veut dire cette histoire ? Veux-tu insinuer que moi, ta mère et tes frères nous devons nous prosterner devant toi ?"*

Or, comme ses frères faisaient paître les troupeaux près de Sichem, Joseph partit pour les rejoindre et vérifier que tout allait bien pour eux. Il eut du mal à les retrouver et dut demander son chemin.

Ses frères l'aperçurent de loin et se dirent entre eux : *"Voilà le doux rêveur qui arrive ! C'est le moment favorable, allons-y, tuons-le, et jetons-le dans cette citerne du désert. Nous raconterons à nos parents qu'une bête fauve l'a dévoré !"*

Mais Ruben voulut l'épargner. Il leur dit : *"Ne le tuons pas, ne répandons pas le sang de notre frère, jetons-le dans la citerne mais sans le frapper."* En réalité, il voulait venir le sauver plus tard.

Dès que Joseph les eut rejoints, ils se saisirent de lui, lui retirèrent sa tunique précieuse et le jetèrent dans la citerne. Leur forfait accompli, ils s'assirent pour le déjeuner. Or vint à passer près d'eux une caravane de marchands qui allait commercer en Egypte. Alors, Juda dit à ses frères : *"Vendons Joseph comme esclave à ces marchands et ne portons pas la main sur lui, c'est quand même notre frère."*

Aussitôt, ils retirèrent Joseph de la citerne et ils le vendirent pour vingt pièces d'argent. Ensuite ils égorgèrent un bouc et trempèrent la tunique de Joseph dans le sang. Puis ils rapportèrent la

Rapidement Joseph devint l'homme de confiance de Putiphar qui lui confia la gestion de tous ses biens.

Malheureusement la femme de Putiphar tomba amoureuse de lui et chercha à le séduire. Mais, lui, fidèle à son maître, refusa ses avances. Alors, pour se venger, elle le dénonça en faisant croire qu'il avait tenté de tromper la confiance de Putiphar. Et Joseph fut jeté en prison.

tunique à leur père. Voyant cela, Jacob se mit à hurler de douleur : *"La tunique de mon fils chéri ! une bête féroce l'a dévoré ! oui, Joseph est mort !"* et Jacob resta inconsolable.

Quant aux marchands, ils vendirent Joseph en Egypte à Putiphar, puissant fonctionnaire de la cour, occupant la charge de grand sommelier du Pharaon.

JOSEPH DEVIENT GRAND VIZIR

Genèse 39-40

Dieu est avec Joseph, il lui donne patience et clairvoyance.
Pharaon saura ensuite faire confiance à cet étranger et c'est la réussite contre toute attente pour le plus grand bien du peuple Egyptien.
De même, c'est par un descendant d'Abraham que le salut sera apporté à tous les peuples du monde.

Or, en même temps que Joseph, le Pharaon mit en prison son grand Echanson et son grand Panetier ? Une nuit, ces deux hauts fonctionnaires firent des rêves similaires, mais personne ne parvint à en donner l'explication. Ils racontèrent tout à Joseph.

"J'ai rêvé qu'il y avait devant moi une vigne avec trois branches, dit le grand Echanson. Je tenais à la main la coupe de Pharaon, je pressais les raisins dans la coupe et je rendais la coupe à Pharaon." Joseph lui dit :

"*Les trois branches signifient trois jours : encore trois jours et pharaon te rendra ton emploi, tu donneras de nouveau la coupe à ton roi comme tu le faisais avant d'être mis en prison. A ce moment-là, rappelle-toi de moi et use de ton influence pour me faire libérer.*"

Le grand Panetier, voyant que l'interprétation était favorable, dit : "*Moi aussi lui-même eut deux songes étranges qu'aucun magicien du royaume ne parvint à interpréter.*

C'est alors que le grand Echanson se souvint de Joseph. Il le fit sortir de prison et le présenta à Pharaon.

"*Dieu va interpréter vos rêves, lui dit Joseph, pas moi !*"

"*Voici que je me tenais près du Nil,*

j'ai rêvé : il y avait trois corbeilles sur ma tête. Celle de dessus était remplie de gâteaux pour le Pharaon, mais les oiseaux les mangeaient tous."

Joseph lui répondit : "*Les trois corbeilles représentent trois jours : encore trois jours et Pharaon te pendra au gibet. Alors les oiseaux rapaces viendront manger ta chair sur toi !*"

Or tout se passa exactement comme Joseph l'avait prédit, mais le grand Echanson oublia sa promesse.

Cependant, deux ans après, Pharaon

raconta Pharaon, *et j'aperçus sept vaches bien grasses qui pâturaient les joncs. Puis vinrent sept vaches maigres comme des squelettes qui dévorèrent les vaches grasses : voici mon premier rêve. Mais j'en ai fait un second : sept épis montaient sur une même tige, ils étaient gras et beaux. Et voici que sept épis maigres et brûlés par le vent engloutirent les sept épis gras et pleins. Quelle peut bien être la signification de ces rêves ?*"

Joseph lui répondit : "*Les rêves de Pharaon ont tous les deux la même signification : Dieu lui annonce ce qu'il va faire. Les sept belles vaches et les sept beaux épis représentent sept années de grande abondance, les sept vaches maigres et les sept épis brûlés représentent sept années de terrible famine. Donc, après sept années de richesse, le royaume connaîtra sept années de grande misère. Je conseille à Pharaon de faire des réserves importantes pendant les sept premières années et de les redistribuer pendant les années suivantes.*"

Ce discours plut à Pharaon qui, sur-le-champ, nomma Joseph Grand Vizir (c'est-à-dire Premier Ministre).

Personne en Egypte, hormis Pharaon, n'était plus puissant que lui.

Pendant sept ans il fit remplir les greniers et, quand la sécheresse vint, il fit ouvrir les réserves.

JOSEPH PARDONNE À SES FRÈRES

Genèse 42-45

Joseph dit à ses frères : "*Le mal que vous m'avez fait, Dieu l'a tourné en bien afin de sauver la vie de son peuple.*" Cette parole annonce Jésus, crucifié à cause de nos péchés, dont la mort donne la vie à l'humanité entière.

Les années de famine venues, on accourut des pays voisins pour acheter du blé en Egypte. Jacob lui-même envoya dix de ses fils, mais il garda Benjamin auprès de lui.

Les dix frères se présentèrent devant Joseph, mais ils ne le reconnurent pas. Lui les reconnut mais n'en fit rien savoir et leur parla durement : *"Vous n'êtes que des espions et c'est pour découvrir des failles dans les dépenses du pays que vous êtes là !"*

Eux protestèrent : *"Pas du tout, nous sommes simplement venus pour acheter des vivres. Nous sommes douze frères, mais l'un est resté à la maison et l'autre est mort."*

Mais Joseph continua à les accuser et les fit jeter en prison : *"Vous resterez ici jusqu'à ce que votre plus jeune frère vienne vous chercher !"* leur dit-il.

Au bout de trois jours, il leur dit : *"Voilà ce que vous allez faire pour avoir la vie sauve, car je crains Dieu : que l'un d'entre vous reste ici en prison. Les autres, retournez dans votre pays et revenez avec votre jeune frère. Alors seulement je saurai si vous dites la vérité."* Mais, pendant que les gardes enchaînaient Siméon, Joseph tourna la tête et se mit à pleurer...

Ils repartirent donc avec leur cargaison de blé. Sans qu'ils le sachent, Joseph ordonna que l'argent qu'ils avaient versé fût remis dans leurs sacs. Quand ils le retrouvèrent, ils eurent très peur d'être accusés de vol.

Arrivés chez eux, ils racontèrent à leur père tout ce qui était arrivé. Jacob leur fit de vifs reproches : *"Joseph a disparu, Siméon est prisonnier et maintenant vous*

voulez m'arracher Benjamin ! Jamais de la vie !"

Mais, quand les vivres furent épuisés, ils persuadèrent leur père de les laisser retourner en Egypte avec Benjamin. Ils emportèrent des cadeaux et deux fois plus d'argent qu'il n'en fallait, afin de rendre celui qu'ils avaient trouvé au fond des sacs.

Cette fois, Joseph les accueillit dans son palais : *"Comment va votre père ?"* leur demanda-t-il. Et en regardant Benjamin : *"Ah, c'est lui votre jeune frère ? Dieu vous bénisse tous !"* Et Joseph se hâta de sortir car il ne pouvait retenir ses larmes. Quand le repas fut servi, ils reçurent tous la portion d'honneur, mais celle de Benjamin était cinq fois plus grosse que les autres.

Plus tard, Joseph donna des instructions pour qu'avant de les remplir de blé, on remette tout l'argent au fond des sacs. Et dans celui de Benjamin, il fit mettre une coupe en argent massif.

Quand ses frères furent sur la route du retour, il les fit rattraper par des gardes qui leur firent ouvrir les sacs. Découvrant dans le sac de Benjamin la coupe d'argent, ils l'accusèrent de vol et le traduisirent devant Joseph, qui le condamna à devenir esclave.

Mais Juda prit la défense de son jeune frère : *"Notre père est très vieux. Si nous revenons sans Benjamin, il mourra de douleur. Laisse-moi rester à sa place."*

Joseph était trop ému. Il renvoya tous ses serviteurs, et une fois seul avec eux, il révéla à ses frères qui il était : *"Je suis Joseph que vous avez vendu. Mais ne craignez rien : Dieu s'est servi de moi pour sauver votre vie et celle de son peuple. C'est pour cela qu'il m'a envoyé en Egypte. Il a un plan pour nous."* Alors il embrassa tous ses frères et les couvrit de baisers.

Puis il leur demanda de retourner chez eux et de ramener toute leur famille en Egypte : *"Notre père doit venir aussi, précisa-t-il, et vous vivrez tous ici comme des rois !"*

LA NAISSANCE DE MOÏSE

Exode 1-2

> Souvent le déroulement de l'histoire nous semble contredire une présence active de Dieu avec nous. Et pourtant, Dieu s'arrange toujours pour faire avancer son dessein d'amour en dépit de l'opposition humaine. Et ce sont souvent des petites choses inconnues de tous qui finissent par changer le monde.

Un nouveau Pharaon vint au pouvoir en Egypte. Il n'avait pas connu Joseph. La présence des Israélites dans son royaume l'inquiétait. *"Ils sont maintenant très nombreux. Que se passera-t-il s'ils se révoltent contre moi ? ou bien s'ils décident de s'allier avec nos ennemis ?"* se demandait-il.

Finalement, il décida de les réduire en esclavage et de les accabler des travaux les plus pénibles. Avec brutalité, il leur fit faire mortier, briques et durs travaux des champs. Mais, comme les descendants de Jacob continuaient à proliférer et que le peuple égyptien les détestait, Pharaon décida d'empêcher toute nouvelle naissance dans les familles israélites. Il tenta de corrompre les sages-femmes. Mais celles-ci ne voulurent pas empêcher les femmes des Hébreux de mettre au monde leurs enfants. Alors il décréta que tous les garçons qui naîtraient chez les Israélites devaient être noyés dans le Nil.

Il arriva qu'une femme de la tribu de Lévi donna naissance à un fils qu'elle trouva si beau qu'elle le cacha pour le sauver. Au bout de trois mois, il fut impossible de le dissimuler plus longtemps. Alors, elle prit une corbeille de roseaux qu'elle enduisit de résine, elle y plaça le bébé et déposa la corbeille dans les joncs, au bord du Nil. Sa sœur se posta à distance pour voir ce qui arriverait à l'enfant.

Or la fille de Pharaon descendit au fleuve pour s'y baigner. Elle découvrit la corbeille, l'ouvrit et vit le bébé qui pleurait. Elle en eut pitié et dit : *"C'est un petit Israélite."* La sœur de l'enfant dit alors : *"Veux-tu que j'aille chercher une nourrice pour allaiter le bébé ?"* La fille de Pharaon lui répondit : *"Va."* La jeune fille court chercher la maman de l'enfant.

La fille du Pharaon lui dit : *"Emmène cet enfant et allaite-le pour moi. Je te donnerai un salaire."*

La femme prit le bébé et le nourrit.

Lorsqu'il eut grandit, sa mère le ramena au palais de Pharaon. La fille de Pharaon le traita comme son propre fils.

Elle lui donna le nom de "Moïse", ce qui veut dire : "Je l'ai tiré des eaux."

L'Appel de Moïse

Exode 2-4

> Comme à Moïse, Dieu confie à chacun de nous une mission pour aider ceux qui souffrent. Comme le feu du buisson ardent, la Parole de Dieu consume et éclaire le cœur des hommes mais sans le détruire.

Moïse fut élevé comme un Egyptien, mais il n'oublia jamais qu'il était un enfant d'Israël. Un jour il tua un Egyptien qui maltraitait un Israélite. Pharaon entendit parler de cette affaire et décida de mettre Moïse à mort ; mais Moïse réussit à s'enfuir dans le pays de Madiân (près de la mer Rouge). Il demeura là de longues années, se maria à une jeune femme nommée Cippora qui lui donna un fils : Guershôm (ce qui veut dire "fils d'immigré").

Au cours de cette longue période, le

Pharaon mourut. Les Israélites, gémissant sous leur esclavage appelèrent Dieu au secours. Dieu entendit leurs cris et se souvint de son Alliance avec Abraham, Isaac et Jacob, et avec leur descendance.

Un jour, alors que Moïse gardait le troupeau dans le désert près du Sinaï, l'ange du Seigneur lui apparut comme un feu au milieu d'un buisson. Moïse regarda : le

buisson était en feu mais il ne brûlait pas !

Dieu l'appela du milieu du buisson : *"Moïse ! Moïse !"* Il répondit : *"Me voici !"* Dieu dit : *"Retire tes chaussures car l'endroit où tu te tiens est sanctifié par ma présence."* Puis il reprit : *"Je suis le Dieu d'Abraham, le Dieu d'Isaac et le Dieu de Jacob."* Alors Moïse se voila la face car il avait peur de mourir s'il regardait Dieu.

Dieu dit : *"J'ai vu la misère de mon peuple en Egypte ; j'ai entendu son cri. Je viens pour le délivrer de ses oppresseurs et pour le conduire vers un pays de rêve où coulent le lait et le miel. Maintenant va, je t'envoie auprès de Pharaon, fais sortir d'Egypte mon peuple, les Israélites."*

Mais Moïse demanda : *"Qui suis-je pour aller trouver Pharaon et libérer mon peuple ?"* Dieu dit : *"Je serai avec toi. Je montrerai ma puissance et je frapperai l'Egypte par de grands prodiges."*

"Et s'il me demande ton nom ?" questionna Moïse. *"Je suis celui qui est !"* répondit Dieu.

Mais Moïse cherchait toujours à éviter cette mission dangereuse : *"Et si personne ne me croit ?"* Dieu lui dit : *"Jette le bâton que tu as en main !"* Moïse jeta le bâton qui aussitôt se transforma en serpent ! Et, quand Moïse attrapa le serpent par la queue, il redevint un bâton.

Dieu lui dit : *"Garde toujours ce bâton avec toi, c'est par lui que tu accompliras des prodiges. Et moi je serai avec toi et je parlerai par ta bouche."*

Mais Moïse se défendit encore : *"Je t'en prie, envoie quelqu'un d'autre à ma place, car je ne sais pas parler en public."*

Dieu dit alors : *"Prends avec toi ton frère Aaron, il parle très bien, tu lui dicteras ce qu'il doit dire et il le répétera."*

LES DIX PLAIES D'EGYPTE

Exode 7-10

> A travers ce récit épique, la Bible nous montre la puissance de Dieu : il est le maître de l'histoire, il libère les hommes et les conduit vers le bonheur. Mais nous découvrons aussi qu'en refusant de faire la volonté de Dieu, comme Pharaon, nous nous enfonçons dans le malheur.

Aaron et Moïse vinrent trouver Pharaon et lui dirent : *"Ainsi parle le Seigneur Dieu d'Israël : laisse partir mon peuple !"* Et Moïse jeta son bâton qui se transforma en serpent.

Alors Pharaon fit venir ses magiciens qui réussirent le même prodige. Cependant le serpent de Moïse dévora les serpents des magiciens. Malgré ce signe, Pharaon refusa de les écouter.

Dieu dit à Moïse : *"Demain matin, quand Pharaon prendra son bain dans le Nil, tu lui diras : laisse mon peuple partir ! Il refusera de nouveau. Alors, pour bien mon-*

trer que tu parles de ma part, frappe l'eau avec ton bâton et l'eau sera changée en sang ainsi que toutes les eaux d'Egypte : celles des ruisseaux comme celles des puits et des citernes. Les poissons mourront, une puanteur épouvantable envahira tout et il n'y aura plus rien à boire."

Moïse et Aaron firent exactement ce que Dieu avait commandé et toutes les eaux d'Egypte furent changées en sang.

Mais les magiciens d'Egypte en firent autant avec leurs sortilèges et le cœur de Pharaon s'endurcit encore plus.

Sept jours plus tard Dieu dit à Moïse : "Retourne voir Pharaon et dis-lui : Ainsi parle le Seigneur : laisse partir mon peuple ! Si tu refuses, tout le pays sera infesté de grenouilles immondes. Elles entreront dans les

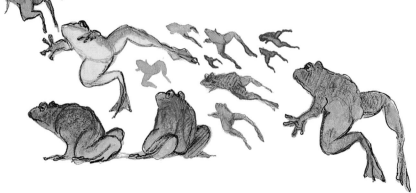

maisons, dans les draps des lits, dans les cruches d'eau et dans la nourriture."

Tout se passa comme Dieu l'avait dit et l'Egypte fut submergée par des millions de grenouilles.

Affolé, Pharaon dit à Moïse : "Prie ton Dieu de nous débarrasser des grenouilles et je m'engage à laisser partir ton peuple." Mais, dès que les grenouilles eurent disparu, Pharaon revint sur sa promesse et refusa

de laisser partir les Israélites.

Le Seigneur dit à Moïse : "Dis à Aaron : Etends ton bâton et frappe la poussière du sol et chaque grain se transformera en moustique."

Et il en fut ainsi. Des nuages de moustiques se jetèrent sur les gens et les bêtes.

Les magiciens essayèrent de les faire partir avec leurs sortilèges mais sans résultat. Alors ils dirent à Pharaon : "Nos pouvoirs n'ont aucun effet : c'est le doigt de Dieu qui agit." Mais Pharaon ne les écouta pas.

Le Seigneur dit à Moïse : "Va retrouver Pharaon et dis-lui : Ainsi parle le Seigneur ! Laisse partir mon peuple ! Si tu ne veux pas je vais envoyer des taons sur les Egyptiens ; mais les Israélites, eux seuls, ne seront pas touchés par cette plaie."

Comme Pharaon ne voulait rien entendre Dieu fit ce qu'il avait dit.

Puis Dieu envoya une peste très grave qui fit mourir tout le bétail des Egyptiens, à l'exception des troupeaux israélites qui ne furent pas touchés.

Malgré ce signe, Pharaon refusa de laisser partir le peuple de Dieu.

Alors tous les Egyptiens furent couverts de grosses pustules, même les magiciens étaient couverts d'ulcères. Mais le cœur de Pharaon restait de marbre.

Le Seigneur dit à Moïse : *"Va dire à Pharaon : Ainsi parle le Dieu d'Israël, laisse partir mon peuple car cette fois-ci je vais envoyer une grêle comme on n'en a jamais vu sur la terre. Tous ceux qui ne seront pas sous un abri solide seront tués en recevant cette grêle. Ce n'est que là où se trouvent les Israélites qu'il n'y aura pas de grêle."* Et il en fut ainsi.

Voyant cela, Pharaon accepta de les laisser partir. Mais, de nouveau, il se dédit et changea d'avis.

Alors Dieu envoya sur l'Egypte un nuage de sauterelles, qui dévasta tout le pays.

Et Pharaon ne laissa toujours pas partir les Israélites.

Le Seigneur Dieu dit à Moïse : *"Etends ta main vers le ciel et qu'une nuit ténébreuse tombe sur l'Egypte."* Moïse obéit et pendant trois jours il y eut des ténèbres opaques sur tout le pays. Pendant trois jours, les gens ne se voyaient même plus à un mètre, si bien que personne n'osait plus bouger d'où il était. Cependant tous les Israélites étaient comme en plein jour. Ils avaient de la lumière là où ils habitaient.

Pharaon convoqua Moïse. Celui-ci lui demanda une fois de plus l'autorisation de quitter le pays, avec son peuple et les troupeaux de son peuple, pour aller servir son Dieu. Mais le cœur de Pharaon était endurci et il lui dit : *"Hors d'ici ! prends garde à toi ! Ne te présente plus devant moi car, si tu reviens une seule fois me parler, je te tuerai."*

Moïse lui répondit : *"Tu l'as dit : je ne reviendrai plus jamais me présenter devant toi !"*

LE PASSAGE D'ISRAËL

Exode 11-12

La Pâque d'Israël, c'est le passage de l'esclavage à la liberté. Il préfigure ce qui adviendra, 1200 ans plus tard par Jésus, l'agneau de Dieu qui par son passage de la mort à la vie garantit notre propre passage de l'esclavage du péché à la liberté des enfants de Dieu.
Notre Dieu est celui qui nous libère du mal et de la mort.

Comme le cœur de Pharaon était toujours endurci, le Seigneur Dieu dit à Moïse : *"Je vais envoyer une dernière plaie sur l'Egypte, après quoi il vous suppliera de partir, et même, il vous chassera définitivement d'ici. Vers le milieu de la nuit tous les aînés de toutes les familles d'Egypte mourront ! Du premier-né du Pharaon, qui doit s'asseoir sur le trône, au premier-né de la servante, tous perdront la vie, et ce sera un grand cri qui montera du pays d'Egypte. Les animaux eux-mêmes seront touchés. Seuls les Israélites seront sauvegardés."*

Le Seigneur Dieu dit encore : *"Ce mois d'avril sera pour vous le premier des mois de l'année. Le dix de ce mois, que chaque famille d'Israël prenne un agneau. Ce sera un agneau sans défaut, un mâle, âgé d'un an. Le quatorze du mois on l'immolera au coucher du soleil. On fera une marque avec son sang sur les portes des maisons et on le mangera. On mangera l'agneau avec du pain sans levain et des herbes amères. Vous mangerez habillés, le bâton à la main, prêts à partir : c'est la Pâque du Seigneur. Cette nuit-là, je traverserai l'Egypte et je frapperai tous les premiers-nés mais, sur les maisons où vous serez, je verrai les marques de sang et vous serez épargnés. Quand je passerai pour frapper la pays d'Egypte, je vous proté-*

gerai. Ce jour-là deviendra pour vous un anniversaire. Vous en ferez une fête. Tous les ans, de génération en génération, vous la fêterez."

A minuit le fils aîné de Pharaon et celui de tous les autres Egyptiens moururent. Ce fut la panique car il n'y eut pas une seule famille sans au moins un mort qu'elle soit au palais ou au fond d'une prison. Les animaux aussi furent décimés. Alors Pharaon se leva et tout son peuple avec lui, et ce fut un grand cri de douleur à travers tout le pays. Il appela Moïse et Aaron et supplia les Israélites de partir.

Les Fils d'Israël se mirent en route de Ramsès vers Soukkot. Il y avait environ deux millions d'hommes, de femmes et d'enfants. De Soukkot ils allèrent jusqu'à Etam, à l'extrémité du désert. Le Seigneur Dieu les guidait le jour par une colonne de nuée et la nuit par une colonne de feu.

LE MIRACLE DE LA MER ROUGE

Exode 13-15

Dieu ne laisse jamais tomber ceux qui écoutent sa Parole et lui font confiance : il entend le cri de son peuple et il le sauve des puissances du mal. Dieu est la force de ceux qui comptent sur lui.

Mais Pharaon changea d'avis. Il prit six cents des meilleurs chars de son armée et il se lança à la poursuite des Israélites. Ils les rejoignirent alors qu'ils campaient dans le désert au bord de la mer Rouge.

Voyant arriver les chars suivis de toute l'armée égyptienne, les Fils d'Israël furent terrifiés et ils dirent à Moïse : *"Pourquoi nous as-tu emmenés dans le désert ? Pour y mourir comme des chiens ? Nous préférons redevenir esclaves des Egyptiens que de mourir ici !"*

Mais Moïse leur répondit : *"N'ayez pas peur ! Tenez bon ! Ayez confiance car le Seigneur Dieu combattra pour vous."*

Alors le Seigneur Dieu dit à Moïse : *"Lève ton bâton et fends la mer, afin que les Israélites puissent la traverser à pied sec."* La colonne de nuée, qui les avait guidés pour sortir d'Egypte, se déplaça à l'arrière du peuple de Dieu pour le protéger.

Moïse étendit le bras sur la mer. Le Seigneur chassa la mer toute la nuit et il mit la mer à sec. Alors les Fils d'Israël s'engagèrent dans la mer, les eaux formant une muraille à leur droite et à leur gauche.

L'armée égyptienne les poursuivit jusqu'au milieu de la mer. Quand les Israélites eurent fini de traverser, le Seigneur dit à Moïse : *"Etends le bras sur la mer : que les eaux se referment sur les Egyptiens, leurs chars et leurs guerriers !"*

Moïse étendit le bras et la mer commença à reprendre sa place.

Dans la panique les chars foncèrent les uns dans les autres en écrasant les soldats. Et la mer se referma sur eux.

Pas un seul ne survécut.

Alors Moïse et les Fils d'Israël chantèrent ce cantique au Seigneur :

Je veux chanter au Seigneur :
Superbe est sa victoire !
Cheval et cavalier,
Il les engloutit dans la mer !
Il est ma force, il est mon chant ;
Il me sauve de mes ennemis !
Il est mon Dieu, et je l'adore.
Par amour, il conduit son peuple,
Il terrasse ses ennemis et
Le guide vers la montagne,
Pour les siècles des siècles !

A TRAVERS LE DÉSERT

Exode 15-17

Souvent la vie humaine passe par des périodes de désert ; au travers des doutes, des difficultés, du désespoir. On ne sait plus vers quoi on marche, on perd confiance en Dieu.
Où est-il ce bonheur que Dieu nous promet ? Où sont les preuves de son amour pour nous ?

Le peuple d'Israël s'enfonça dans le désert de l'autre côté de la mer Rouge. Quand, après trois jours de marche, ils parvinrent à Mara, l'eau du puits se révéla imbuvable. Le peuple se mit à murmurer contre Moïse en disant : *"Nous allons mourir de soif !"*

Moïse se tourna vers le Seigneur et le Seigneur lui montra un morceau de bois. Moïse le jeta dans l'eau, et l'eau devint délicieuse. Puis il dit à son peuple : *"Si vous écoutez bien la parole de votre Dieu, si vous suivez ses commandements, je vous sauverai du mal, car je suis un Dieu qui guérit."*

Ils arrivèrent ensuite à l'oasis d'Elim et là, ils campèrent au bord de l'eau. Puis, ils quittèrent Elim pour se rendre au pied du Sinaï. Là, toute la communauté murmura de nouveau contre Moïse et Aaron, ils leur dirent : *"Nous étions bien plus heureux en Egypte quand nous avions à manger tout le pain et toute la viande que nous voulions ! Vous nous avez amenés ici pour y mourir de faim !"*

Le Seigneur Dieu dit à Moïse : *"Du ciel je vais faire pleuvoir du pain. Le peuple sortira recueillir chaque jour sa ration quotidienne."* Le Seigneur dit encore à Moïse : *"J'ai entendu les récriminations des Fils d'Israël. Après le coucher du soleil, ils mangeront de la viande et, au lever du soleil, ils auront tout le pain qu'ils voudront. Alors ils reconnaîtront que je suis bien leur Dieu."*

Le soir même surgit un vol de cailles qui se posèrent près du camp ; et le lendemain matin il y avait à la surface du désert, une fine croûte, comme du givre. Les Fils d'Israël se demandèrent : *"Qu'est-ce-que*

c'est ?" "C'est le pain que le Seigneur vous donne à manger", répondit Moïse. Ce pain fut appelé la "manne" il avait le goût des galettes de miel. Et Moïse leur dit : *"Servez-vous autant que vous voudrez pour vos besoins quotidiens, mais surtout, ne faites pas de réserves pour le lendemain."*

Ainsi tous les matins chacun récoltait ce dont il avait besoin pour la journée. Les Israélites se nourrirent de la manne pendant quarante ans, jusqu'à ce qu'ils arrivassent aux confins de la terre de Canaan.

Mais, là encore, après de longues semaines de marche, ils ne trouvèrent pas d'eau à l'étape. Ils prirent Moïse à partie et se mirent en colère. Moïse leur répondit : *"Quand donc cesserez vous de mettre votre Dieu à l'épreuve ?"* Mais eux ne voulurent rien entendre. Alors Moïse dit au Seigneur : *"Que puis-je faire pour eux ? Si je ne fais rien, ils finiront par me tuer !"*

"Prends la tête de la caravane, le bâton à la main, lui répondit Dieu. Mettez-vous en marche. Quand tu te trouveras devant un rocher, frappe-le avec ton bâton et une source jaillira."

Moïse fit ce que Dieu lui demandait, et tout se passa comme le Seigneur l'avait dit. On donna à ce rocher le nom de "Meriba".

LES DIX COMMANDEMENTS

Exode 19-24, 32-34, psaume 91

Sur la route du bonheur, le chemin où Dieu nous conduit, il faut des panneaux indicateurs pour ne pas nous perdre. Et nous avons aussi besoin d'un "code de la route" pour éviter de nous blesser ou de blesser les autres. Aimer ne consiste pas à faire n'importe quoi, mais d'abord à respecter les autres et à être fidèle à ses engagements.

Après leur libération d'Egypte, les Fils d'Israël établirent leur campement juste en face du mont Sinaï. Moïse monta vers Dieu et le Seigneur l'appela du sommet de la montagne : *"Vous avez vu tout ce que j'ai fait en faveur de mon peuple, comment je vous ai portés comme sur les ailes d'un aigle pour vous élever jusqu'à moi. Si vous restez fidèles à mon Alliance vous serez le peuple élu de mon cœur, un royaume de prêtres, une nation sainte."* Moïse redescendit et communiqua aux Israélites ce que le Seigneur lui avait dit. Le peuple lui répondit d'une seule voix : *"Tout ce que demande le Seigneur, nous le ferons !"*

Le troisième jour, dès le lever du soleil, il y eut des coups de tonnerre, des éclairs, une épaisse nuée sur la montagne. Dans le camp, tout le monde fut terrifié. Moïse fit sortir le peuple à la rencontre de Dieu, aux premiers contreforts du mont Sinaï.

Alors le Seigneur descendit sur le sommet, il appela Moïse et Moïse monta vers lui. Et Dieu prononça les paroles que voici :

"Je suis le Seigneur ton Dieu, qui t'a libéré de l'esclavage.

Tu n'auras pas d'autre dieu que moi.

Tu ne feras aucune idole car je suis un Dieu jaloux ; mais, ceux qui m'aiment, je leur garde ma fidélité pour toujours.

Tu n'invoqueras pas le nom du Seigneur ton Dieu pour le mal.

Souviens-toi que le septième jour de la semaine est un jour sacré.

Honore ton père et ta mère.

Tu ne tueras pas. Tu ne seras pas infidèle.

Tu ne voleras pas.

Tu ne mentiras pas.

Tu ne désireras pas prendre ce qui appartient aux autres."

Moïse redescendit pour rapporter au peuple les dix commandements du Seigneur. Les Israélites répondirent comme un seul homme : *"Nous le promettons. Nous mettrons en pratique les commandements de Dieu !"*

Puis Moïse remonta au sommet du Sinaï et là, pendant quarante jours et quarante nuits, il parlait à Dieu et Dieu lui parlait...

Quand il vit que Moïse tardait à redescendre du sommet, le peuple s'assembla autour d'Aaron et lui dit : *"Allons, fais-nous un autre Dieu, car ton frère Moïse a dû mourir dans le tonnerre."*

Alors Aaron demanda à tout le peuple d'amener leurs bijoux d'or, il fit fondre l'or et en fit une statue représentant un veau. Puis ils se prosternèrent devant la statue et l'adorèrent comme un dieu.

Le Seigneur Dieu dit alors à Moïse : *"Ma colère va s'enflammer contre ton peuple car ils se sont pervertis. Ils se sont fabriqué un dieu !"* Moïse s'efforça d'apaiser la colère de Dieu : *"Souviens-toi de tes promesses pour ton peuple ; souviens-toi de ton Alliance avec Abraham, Isaac et Jacob ; ne détruis pas tout ce que tu as fait pour nous ; renonce à ta colère !"* Et Dieu voulut bien pardonner encore une fois.

Quand Moïse redescendit de la montagne, il portait les deux tables de la Loi où Dieu avait gravé ses commandements. Quand il découvrit le veau d'or au milieu du camp, il entra dans une colère mémorable : il jeta les tables de la Loi sur un rocher et les brisa. Il détruisit le veau, le fit fondre, réduisit l'or en poudre et en saupoudra l'eau qu'il força les Israélites à boire. Puis il leur dit : *"Vous avez commis un péché tellement énorme que je ne sais pas s'il peut être pardonné."* Et Moïse remonta vers Dieu pour plaider de nouveau en faveur de son peuple.

Alors le Seigneur lui dit : *"Je suis celui qui est, le Seigneur. Je pardonne à qui je veux, je montre ma tendresse à qui je veux. Oui, je suis le Dieu tendre et miséricordieux, lent à la colère, débordant d'amour et de fidélité."*

Plus tard, tout le peuple de Dieu chantera sa reconnaissance au Seigneur pour la fidélité de son amour et de sa protection.

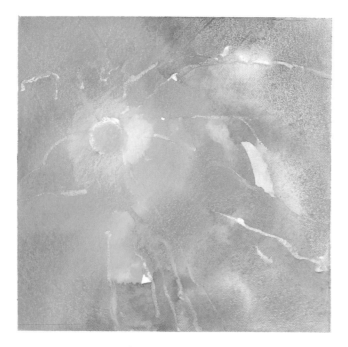

"Je repose à l'ombre du Tout-Puissant,
et je dis au Seigneur :
tu es mon refuge, ma forteresse,
je suis sûr de ton Amour !
C'est lui qui me sauve
des pièges du mauvais.
Il me couvre de ses ailes et me protège.
En lui je trouve mon refuge,
sa fidélité est mon armure.
Je ne crains ni les terreurs de la nuit,
ni les tentations de la journée,
ni la mort qui rôde dans le noir,
ni le péché qui frappe à midi.
Si mille tombent à mes côtés
et dix mille à ma droite,
moi, je reste hors d'atteinte.
J'ouvre les yeux et vois
les conséquences du péché.
Heureusement le Seigneur est mon refuge,
j'ai fait de lui ma forteresse.
Le mal ne peut m'atteindre
ni le péché approcher de mon cœur.
Dieu donne mission à ses anges
de me garder sur la route de la vie.
Ils me protègent sans cesse
pour que je ne me blesse pas.
Je marcherai sur la vipère et le scorpion
je terrasserai le lion et le dragon.
Puisque je l'aime, Dieu me libère.
Puisque je l'adore, il me donne sa gloire.
Quand je l'appelle, Dieu me répond :
'Je suis à côté de toi dans l'épreuve.
Je veux te délivrer et te glorifier ;
tu verras mon salut
et je te donnerai la vie éternelle.'"

LES TABLES DE LA LOI

Exode 25-40

Le Seigneur dit à Moïse : *"Taille deux tables de pierre semblables aux premières et monte vers moi au sommet de la montagne, et moi j'y graverai de nouveau mes commandements."* Et il en fut ainsi. Moïse redescendit avec les nouvelles tables de la Loi. Le peuple promit d'une seule voix : *"Tout ce que dit le Seigneur, nous le ferons."*

Le Seigneur demanda à Moïse de bâtir un sanctuaire où il puisse demeurer.

Alors, comme le Seigneur l'avait dit, chacun apporta sa contribution pour construire le sanctuaire qui renfermerait les tables de la Loi : argent, or, pierreries, tissus et bois précieux, etc.

Ils élevèrent une tente, puis, pour contenir les tables, ils fabriquèrent, avec ces matériaux, un écrin appelé l'arche de l'Alliance en bois d'acacia.

Elle était longue d'environ un mètre sur soixante-quinze centimètres de large.

Elle fut recouverte d'or à l'intérieur comme à l'extérieur. Deux chérubins, également en or, furent placés sur le couvercle : ils protégeaient l'arche de leurs ailes.

Puis les orfèvres firent un candélabre d'or pur. Ce candélabre avait sept bran-

ches pour porter sept lumières. Les menuisiers fabriquèrent une table en bois précieux pour y déposer les offrandes.

D'autres artisans façonnèrent un autel d'or, un autre de bronze, des tissus merveilleux pour les tentures et les portes, et pour les vêtements liturgiques du grand prêtre Aaron.

Quand tout le travail fut terminé, Moïse fit dresser la tente. Il prit les tables de la Loi et les plaça dans l'arche. Il mit

l'arche au fond de la tente avec le candélabre. Enfin, il fit tendre le grand rideau à l'entrée de la tente et installer tous les éléments destinés au culte. Alors, la nuée couvrit la tente de son ombre et la gloire de Dieu était au milieu de son peuple. Moïse appelait cette tente la tente de la rencontre, et quiconque voulant rechercher le Seigneur allait vers la tente de la rencontre. Moïse lui-même, allait souvent se recueillir auprès de Dieu, et tout le peuple respectait la Parole que le Seigneur lui donnait dans ce lieu sacré, auprès de l'arche de l'Alliance.

Quand la nuée s'élevait au-dessus de la tente, les Israélites se mettaient en marche. Si la nuée ne s'élevait pas, ils restaient où ils étaient. Ainsi en était-il à chacune des étapes.

LA MORT DE MOÏSE

Deutéronome 34

Moïse est au cœur de l'Ancien Testament comme Jésus sera au cœur du Nouveau Testament. Mais Jésus fera pour nous incomparablement plus que Moïse parce qu'il est "vrai Dieu né du vrai Dieu". Cependant, au jour de la Transfiguration, Moïse sera à côté de lui.

Après quarante longues années d'épreuves dans le désert, le peuple de Dieu arriva enfin en vue de la terre promise par Dieu à Abraham.

Alors Moïse, seul, gravit le mont Nébo en face de Jéricho. De là il découvrit toute la

vallée fertile du Jourdain, cette terre qu'il avait tant espérée.

Le Seigneur lui dit : *"Regarde le pays que j'ai promis à Abraham, à Isaac et à Jacob pour leur descendance. Je te le montre, mais toi tu n'en prendras pas possession."*

Moïse avait achevé sa mission et c'est là qu'il mourut. Il avait cent vingt ans.

Les Israélites enterrèrent son corps dans la vallée, et personne n'a jamais connu son tombeau jusqu'à ce jour. Ils pleurèrent Moïse pendant trente jours.

Josué, fils de Noune devint leur guide

car Moïse lui avait imposé les mains. Josué était plein de sagesse, et les Fils d'Israël l'écoutèrent pour agir, suivant les ordres que le Seigneur avait donnés à Moïse.

Depuis, il ne s'est plus levé en Israël de prophète comparable à Moïse, lui qui conversait directement avec Dieu. Que de miracles et de prodiges n'a-t-il pas faits au nom du Seigneur ! Il avait agi avec toute la puissance de la main de Dieu, aux yeux de tout le peuple.

LE PASSAGE DU JOURDAIN

JOSUÉ 1-5

Dieu est fidèle à sa promesse : il va donner une terre à son peuple. Cependant tout ne sera pas facile, il faudra combattre l'ennemi et le vaincre. De même, Jésus nous promet un Royaume dans les Cieux, mais c'est à nous de le conquérir : confiance, il combat à nos côtés tous les jours de notre vie.

Le Seigneur Dieu s'adressa à Josué : *"Moïse, mon serviteur, est mort ; maintenant, debout ! Passe le Jourdain avec tout le peuple et prenez possession du pays que je vous donne. Sois fort et tiens bon pour obéir à la Loi de Moïse ; sois sans crainte je serai toujours avec toi."*

Alors Josué prépara le passage du Jourdain. Il envoya des espions à Jéricho pour étudier les défenses du pays. Mais le roi de Jéricho fut informé de leur présence et les fit rechercher. Ils trouvèrent refuge chez une femme appelée Rahab qui les cacha chez elle et fit croire à leurs poursuivants qu'ils avaient quitté la ville.

A la nuit tombée elle dit aux espions : *"Nous sommes tous terrifiés par l'arrivée des Israélites car nous connaissons la puissance de leur Dieu. Puisque je vous ai traités avec bonté, jurez-moi que vous épargnerez ma famille quand la guerre éclatera."*

Ils lui répondirent : *"Quand le Seigneur aura mis le pays entre nos mains, nous jurons que nous agirons envers toi avec bonté et loyauté."* Alors elle les fit descendre à l'aide d'une corde le long des remparts. Auparavant ils lui avaient donné un foulard rouge en lui recommandant de l'atta-

cher à la fenêtre de sa maison : *"Tous ceux qui seront dans cette maison pendant l'attaque seront épargnés à cause de toi."*

Alors les deux hommes retournèrent dans leur camp après s'être cachés dans la montagne et ils firent leur rapport à Josué : *"Les habitants de ce pays sont paniqués, le Seigneur a mis le pays entre nos mains !"* Josué fit passer cet ordre à travers tout le peuple : *"Lorsque vous verrez les prêtres portant l'arche d'Alliance se mettre en route, marchez derrière eux à bonne distance. Ils vous indiqueront le passage. Préparez-vous, car le Seigneur fera des merveilles pour vous."* Trois jours plus tard le peuple leva le camp pour passer le Jourdain. Les prêtres portaient l'arche d'Alliance en tête du convoi. Or le Jourdain coulait à flots car c'était la saison des moissons. Dès que les prêtres touchèrent l'eau de leurs pieds, le courant d'amont s'arrêta et les eaux se dressèrent comme une muraille. Tous purent passer à pied sec. Passèrent le Jourdain l'arche, les prêtres, le peuple tout entier, une armée de quarante mille hommes en ordre de bataille. Le Seigneur dit à Josué : *"Construis un mémorial pour que l'on se souvienne que les eaux du Jourdain ont été coupées pour laisser passer l'arche d'Alliance et tout le peuple à sa suite."* Pour commémorer ce passage, Josué choisit douze hommes – un par tribu d'Israël – et il leur dit : *"Allez dans le lit du Jourdain prendre douze pierres qui étaient sur notre passage."* Les douze hommes firent ce que Josué leur avait ordonné et ils ramenèrent les douze pierres avec eux.

Les Israélites campèrent ensuite à Guilgal. Ils construisirent le mémorial et se souvinrent que Dieu avait ouvert les eaux du Jourdain devant leurs pas, comme il avait ouvert les eaux de la mer Rouge pour laisser passer son peuple à la suite de Moïse. Ils célébrèrent la Pâque.

Le lendemain, ils mangèrent des produits du pays. Or, à partir de ce moment, la manne s'arrêta de tomber. Dès lors, chaque jour ils mangèrent les produits de la terre promise.

LA PRISE DE JÉRICHO

Josué 6-24

Alors que Josué se trouvait devant Jéricho, il vit un ange qui se tenait face à lui, une épée à la main.

Josué lui dit : *"Es-tu des nôtres ou de nos ennemis ?"* Il répondit : *"Je suis le chef de l'armée du Seigneur. Me voici !"*

Josué se prosterna devant lui en disant : *"Qu'attend le Seigneur de son serviteur ?"* Le chef de l'armée du Seigneur lui répondit : *"Ote tes sandales de tes pieds car tu es sur un lieu saint."* Et Josué fit ainsi.

Or Jéricho était en état de siège, nul ne pouvait entrer ou sortir de la ville, tous les habitants en arme retranchés derrière des remparts inexpugnables.

Le Seigneur Dieu dit alors à Josué : *"Regarde cette ville : je vais la livrer entre tes mains. Que l'armée d'Israël fasse le tour de la ville pendant six jours. En avant de l'armée, vous ferez une procession avec l'arche de l'Alliance précédée de sept prêtres portant chacun une trompette. Le septième jour, vous ferez sept fois le tour de la ville et les prêtres sonneront de la trompette. Alors, tout le peuple poussera un grand cri de guerre et*

les remparts de la ville s'écrouleront sur place : vous pourrez monter à l'assaut."

Josué transmit les instructions qu'il avait reçues et il ajouta : *"Que tout le monde reste silencieux, pas un mot, pas un cri, jusqu'au jour où je vous dirai : Poussez le cri de guerre ! Alors là vous pousserez un grand cri."*

L'armée se mit en marche derrière l'arche, pour faire le tour de la ville. Le septième jour, à la fin du dernier tour, Josué lança le signal : *"Poussez le cri de*

guerre car le Seigneur met la ville entre nos mains !" Et il ajouta : *"N'oubliez pas que vous devez épargner Rahab et toute sa famille. Et ne prenez aucun butin, ni or, ni argent, ni aucun objet de valeur, car tout appartient à Dieu."*

Alors, en même temps que les prêtres

sonnaient des trompettes, le peuple poussa un grand cri et les remparts s'effondrèrent ; le peuple monta à l'assaut et ils prirent la ville.

Cependant ils protégèrent Rahab et toute sa famille. Des espions la firent sortir de la ville, avec tous les siens et les biens de sa maison, afin de tenir la promesse.

A partir de Jéricho, les Israélites conquérirent tout le pays. Alors Josué demanda à tout le peuple de renouveler son Alliance avec Dieu. Chacun fit le serment suivant : *"Plutôt mourir que d'abandonner le Seigneur pour servir des idoles car c'est lui qui nous a donné ce pays !"*

GÉDÉON
Juges 6-7

Les Fils d'Israël firent ce qui est mal aux yeux du Seigneur. Ils furent infidèles à l'Alliance en rendant un culte aux idoles étrangères. Ils abandonnèrent le Seigneur, le Dieu d'Abraham, d'Isaac et de Jacob. Alors, le Seigneur abandonna sa protection et Israël fut conquis par les Madianites pendant sept ans. Les fils d'Israël durent se réfugier dans le maquis, se cacher dans les grottes du désert pour survivre.

Mais Dieu n'abandonne jamais son peuple malgré ses infidélités. Il envoya son ange à un homme juste appelé Gédéon. *"Le Seigneur est avec toi, vaillant guerrier !"* lui dit-il. Gédéon rétorqua : *"Si Dieu était avec nous, notre pays ne serait pas occupé."* L'ange reprit : *"Eh bien, justement, le Seigneur t'envoie pour libérer Israël !"*

Gédéon eut peur : *"Ma tribu est peu nombreuse et moi, je ne vaux pas grand-chose. Fais-moi voir un grand miracle et je croirais ce que tu me dis."*

Alors Dieu lui demanda de déposer son repas sur un rocher. Gédéon s'empressa de mettre de la viande, des poissons et du pain sans levain dans un panier, il le posa sur un rocher. L'ange du Seigneur toucha la nourriture et un feu sortit du roc qui

brûla tout, jusqu'à ce qu'il ne restât plus rien ! Gédéon était terrorisé. Le Seigneur Dieu lui dit : *"Que la paix soit avec toi : ne crains rien."* Alors Gédéon commença à regrouper derrière lui une puissante armée pour libérer son pays.

Mais Gédéon doutait encore. Il dit à Dieu : *"Si vraiment tu comptes sur moi pour délivrer Israël, donne-moi un signe évident de ta volonté. Regarde : j'étends ce manteau en laine sur le sol, si la rosée ne tombe que sur la toison et si tout le sol reste sec, je serai définitivement convaincu."*

Au petit matin, Gédéon s'aperçut que le manteau était humide de rosée alors que le sol était parfaitement sec. Le lendemain, Gédéon remit le manteau par terre et c'est le contraire qui arriva : la laine était sèche et le sol humide.

Gédéon et son armée se mirent en route et installèrent leurs tentes à Ein-Harod, au sud du campement des Madianites. Dieu fit comprendre à Gédéon que son armée était trop importante. *"Israël pourrait penser qu'elle s'est délivrée sans mon aide ! Que les peureux s'en aillent"*, dit Dieu. Vingt-deux mille hommes partirent, il en resta dix mille. *"C'est encore trop ! Fais-les descendre au bord de l'eau, je les mettrai à l'épreuve, et ferai le choix pour*

toi", insista Dieu. Tout le monde avait soif. Gédéon emmena le peuple vers le bord de l'eau. Le Seigneur Dieu lui dit : *"Tous ceux qui laperont l'eau comme le fait le chien, tu les garderas. Ceux qui se mettront à genoux pour boire, tu les mettras à part."*

Trois cents hommes lapèrent l'eau avec la langue. Alors Dieu dit à Gédéon : *"C'est avec ces trois cents hommes que je vous sauverai de la main des Madianites : que le reste du peuple s'en aille."*

Gédéon divisa ses trois cents hommes en trois bandes. Il leur remit des cors et des cruches vides, avec des torches dans les cruches.

Gédéon et les cent hommes qui étaient avec lui arrivèrent à l'extrémité du camp des Madianites. Les trois bandes sonnèrent du cor et fracassèrent les cruches qu'ils avaient à la main. De la main gauche, ils saisirent les torches et crièrent : *"Guerre pour le Seigneur et pour Gédéon !"* Chacun se tint à sa place autour du camp.

Les Madianites étaient aussi nombreux que les grains de sable sur le bord de la mer. Mais, comme Dieu l'avait annoncé, Gédéon et son armée remportèrent la victoire.

SAMSON INTERVIENT À SON TOUR

Juges 13-16

Le peuple d'Israël recommença à répandre la méchanceté. Cette fois, en réponse au péché des Fils d'Israël, le Seigneur Dieu les livra aux mains des Philistins.

Pendant quarante ans, ils entrèrent en conflit avec Israël. Comme Gédéon, Samson est envoyé par Dieu pour délivrer son peuple de l'assaut des Philistins et pour rétablir la Loi.

En ce temps-là, il y avait un homme du clan des Fils d'Israël, nommé Manoa. Sa femme était stérile et n'avait pas eu d'enfant. L'ange de Dieu apparut à cette femme. Il lui dit : *"Tu vas concevoir et enfanter un fils. Désormais, tu ne boiras plus de vin et tu ne mangeras plus certains aliments. L'enfant sera consacré à Dieu dès sa conception, il ne faudra pas lui couper les cheveux car il sera consacré à Dieu. C'est lui qui commencera à délivrer Israël de la main des Philistins."*

Comme l'ange de Dieu l'avait annoncé, la femme mit au monde un fils et le nomma Samson. L'enfant grandissait, Dieu le bénissait et agissait dans son cœur. Il l'animait de son esprit.

Quand il fut en âge de se marier, Samson voulut épouser une femme dont il fit la connaissance parmi les filles des Philistins. Son père et sa mère lui exprimèrent vivement leurs désaccord : *"Il y a beaucoup de femmes parmi les filles de tes frères et dans notre peuple ! Pourquoi irais-tu prendre femme chez les Philistins ?"*

Samson insistait : *"C'est celle-là qui me plaît, je n'en veux pas d'autre."*

Alors Samson se rendit à Timma avec ses parents pour épouser cette femme. Là, un jeune lion vint à sa rencontre en rugissant. Samson fut rempli de l'Esprit du Seigneur et déchira le lion en deux. Quelques jours après, il fit un détour pour en voir le cadavre. Dans la carcasse du lion, il y avait un essaim d'abeilles et du miel. Il en recueillit dans le creux de la main et en mangea.

Une autre fois, Samson donna une grande fête. Il proposa une énigme à ses compagnons philistins : *"De celui qui mange est sorti ce qui se mange, et du fort est sorti le doux."* Comme ils ne trouvèrent pas le sens de cette énigme les jeunes Philistins dirent à la femme de Samson : *"Séduis ton mari, pour qu'il nous en donne le sens, sinon nous te brûlerons, ainsi que la maison de ton père."*

En pleurs, elle harcela son mari pour en connaître le sens. Exaspéré, Samson le lui révéla. Elle alla tout raconter aux fils de son peuple. Très vite, Samson comprit que sa femme l'avait trahi, il la renvoya.

Samson devint un robuste paysan. Il était capable de nombreux exploits. Un jour, il s'en alla et attrapa trois cents renards. Il les lâcha avec des torches enflammées, dans les moissons des Philistins. Les blés, les vignes et les oliviers

furent incendiés. Une autre fois, les Philistins vinrent à sa rencontre. Comme il arrivait à eux, Samson fut rempli de l'Esprit de Dieu. Il abattit mille hommes avec une mâchoire d'âne toute fraîche ! On raconte aussi que, lorsque Samson se rendit à Gaza, les Philistins le guettèrent aux portes de la ville pour le tuer. *"Attendons, disaient-ils, que brille le matin et nous lui donnerons la mort."* Au réveil, Samson saisit la porte de la ville par les deux montants et la déplaça jusqu'au sommet de la montagne !

Dans les derniers moments de sa vie, Samson rencontra et aima une femme nommée Dalila. *"Dis-nous donc d'où lui vient sa grande force et comment pourrions-nous le capturer ? Nous te donnerons beaucoup d'argent,"* insistèrent les Philistins auprès de Dalila.

Dalila demanda à Samson de lui expliquer le secret de sa grande force. Il lui répondit : *"Si l'on me rase les cheveux, alors je perdrai ma force et je deviendrai comme tous les hommes."*

Elle comprit qu'il lui avait livré son

cœur et alla trouver les Philistins pour le leur expliquer et les faire venir dans sa maison. Alors elle endormit doucement Samson sur ses genoux, et lui rasa les cheveux, de manière qu'il ne pût plus se défendre contre les Philistins. Ces derniers s'empressèrent de capturer Samson, le conduisirent dans un temple.

Les princes des Philistins se réunirent pour l'offrir en sacrifice à Dagôn, le dieu des Philistins. Puis, ils se moquèrent de

lui et lui crevèrent les yeux. *"Samson est notre ennemi, celui qui a dévasté notre pays !"* clamaient-ils.

Mais, en prison, les cheveux de Samson avaient repoussé. Lorsqu'il fut amené au milieu de leurs fêtes pour y servir aux jeux, il se tourna vers Dieu. Samson s'adressa alors à lui et le supplia : *"Rends-moi fort Seigneur ! Que je puisse me venger des Philistins pour m'avoir crevé les deux yeux !"* Samson appuya si fort contre les colonnes du temple, qu'elles s'effondrèrent sur tout le peuple venu assister au supplice. Ceux qu'il fit mourir en mourant lui-même sous le temple effondré furent plus nombreux que ceux qu'il avait fait mourir de son vivant.

RUTH : L'ESPOIR RENAÎT

Ruth 1-4

Une famine survint à Bethléem dans le pays de Juda. Elimélek décida alors de fuir cette contrée avec sa femme Noémi et ses deux fils. Ils s'établirent dans les champs de Moab où la moisson était abondante. Peu de temps après, Elimélek mourut. Les deux fils prirent pour épouses des femmes du pays. L'une se nommait Orpa, l'autre Ruth. Pendant dix années, ils vécurent heureux. Puis les deux fils moururent à leur tour. Ils ne laissèrent pas de descendance. Noémi resta seule. *"Quelle catastrophe ! se disait-elle. Je suis privée de mes deux fils et de mon mari. Les épouses de mes deux fils n'ont pas d'enfant ! Quelle malédiction !"*

C'est alors que Dieu visita le pays d'origine de son mari, celui de la tribu de Juda et lui dit : *"Les champs seront désormais remplis de bons épis et le pain abondera. Vous aurez de nouveau de quoi vous rassasier !"* Noémi apprit cette bonne nouvelle. Aussitôt, elle décida de quitter les champs de Moab et se mit en route avec Orpa et Ruth vers le pays de Juda.

Noémi songea avec une grande tristesse : *"Comment assurer la continuité de ma famille si je n'ai aucun descendant ?"* En chemin, elle dit à ses deux belles-filles : *"Retournez donc chez vos parents et que*

Dieu veille sur vous comme vous avez veillé sur mes fils ! Que Dieu vous offre une vie paisible dans la maison d'un nouveau mari !" Orpa – ce qui signifie "celle qui tourne le dos" – embrassa sa belle-mère et retourna vers son peuple. Ruth "la compagne" décida de suivre Noémi. *"Ton peuple sera mon peuple et ton Dieu sera mon Dieu"*, lui confia-t-elle. Elles marchèrent toutes deux et arrivèrent à Bethléem au début de la moisson.

Moabite, Ruth était considérée comme une étrangère en pays de Juda. Pour se nourrir, elle devait glaner les épis tombés dans les champs, lors de la moisson. Là, elle se lia d'amitié avec le propriétaire d'un champ, Booz, qui appartenait à la même famille que Noémi. Booz était un homme juste, il reçut Ruth avec beaucoup de délicatesse. *"On m'a raconté tout ce que tu as fait pour ta belle-mère après la mort de ton mari. Tu as eu le courage de quitter ton père, ta mère, et ton pays natal – la terre de Moab – pour venir vivre avec un peuple inconnu et étranger. Que le Dieu d'Israël te récompense !"* lui souhaita Booz. A partir de ce moment-là, Booz prit Ruth

sous sa protection. Il lui dit : *"Tu peux glaner tous les épis que tu veux dans ce champ. Mais ne t'en éloigne pas. Et, si tu as soif, va donc boire l'eau que les domestiques ont puisée."*

Ruth demeurait avec sa belle-mère. Un jour, Noémi lui confia : *"Mon plus grand désir est de te rendre heureuse, alors suis mes conseils ! Lave-toi donc, parfume-toi, mets ton manteau et va te coucher aux pieds de Booz."* Noémi venait de mettre en vente une parcelle de terre. Ruth fit ce que lui commanda sa belle-mère. Au milieu de la nuit, Booz se réveilla et aperçut Ruth. Elle le supplia : *"C'est moi, Ruth, ta servante. Epouse-moi ! Tu as le pouvoir de me prendre pour femme, car tu es racheteur."* Booz lui avoua qu'elle avait du prix à ses yeux. Il lui dit : *"Je le veux bien mais il y a un autre racheteur prioritaire sur moi."* Au petit matin, Booz mesura vingt litres d'orge et en fit cadeau à Ruth. Ils se quittèrent.

Booz se rendit au tribunal pour tenter d'obtenir le rachat de la parcelle de terre mise en vente par Noémi. Là, il s'adressa au racheteur prioritaire : *"Si tu achètes ce champ , tu dois aussi prendre Ruth pour femme afin d'assurer la descendance de Noémi."* *"Je ne peux pas, je vais me ruiner !"* répondit le racheteur. Alors Booz put acquérir le champ et, tout joyeux, il alla trouver Ruth. Il lui demanda de devenir son épouse. Ruth enfanta un fils. Alors les femmes du village félicitèrent Noémi : *"Béni soit Dieu ! Ce fils sera le soutien de ta vieillesse ! Que son nom soit proclamé à travers Israël !"* On donna à l'enfant le prénom d'Obed. Plus tard, il devint le père de Jessé qui lui-même devint le père du futur roi David.

DIEU APPELLE SAMUEL

1 Samuel 1-3

Vers l'an mille avant Jésus-Christ, Israël va connaître un tournant de son histoire. De quelques tribus liées par une foi commune, le peuple de Dieu va devenir une nation qui se donnera un roi : David. La tentation est forte alors d'oublier la mission spirituelle au profit d'une ambition terrestre.

Une femme stérile, Anne, se rendit au temple pour supplier Dieu de lui donner la grâce d'enfanter. Tandis qu'elle le priait, elle fit ce vœu : *"O Dieu, si tu me permets de concevoir un enfant, il te servira pendant toute sa vie !"* Le prêtre, Eli, était assis non loin de là et entendait la supplication de cette femme. Il interpella Anne et lui tint ce langage : *"Sois paisible et fais confiance à Dieu."* Peu de temps après, Anne mit au monde un fils. On l'appela Samuel. Alors Anne s'agenouilla et fit cette prière :

"Grâce au Seigneur, j'ai le cœur rempli de joie.
Lui seul est saint !
Il est tout-puissant !
Le Seigneur fait mourir et fait vivre.
Il appauvrit et enrichit.
Il relève le faible
et fait asseoir le pauvre avec les princes.

Il est le créateur du monde.
Il a de la reconnaissance pour ses fidèles.
Les méchants périront
car ce n'est pas par la force que l'on triomphe."

Consacré à Dieu, le jeune Samuel accomplissait le service divin auprès du prêtre Eli. Samuel avait l'habitude de dormir dans le temple de Dieu, près de l'arche d'Alliance. Eli était très âgé ; il regagnait sa chambre chaque soir. Une nuit, Dieu appela : *"Samuel ! Samuel !"* Samuel courut vers le prêtre Eli et il dit : *"Tu m'as appelé, me voici."* Eli répondit : *"Je ne t'ai pas appelé. Retourne te coucher."* Samuel replongea dans le sommeil. De nouveau, Dieu appela : *"Samuel ! Samuel !"* Samuel se leva et alla trouver Eli : *"Tu m'as appelé, me voici."* Eli répondit : *"Je ne t'ai pas appelé, Samuel. Va te coucher."* Samuel était encore jeune et il connaissait très peu de chose de la Parole de Dieu. Dieu appela une troisième fois : *"Samuel ! Samuel !"* Samuel se rendit auprès d'Eli et lui dit : *"Tu m'as appelé, me voici."* Cette fois, Eli comprit que c'était Dieu qui appelait Samuel. Il lui dit : *"Va*

te coucher, et, si on t'appelle, tu diras : *Parle, Seigneur, ton serviteur écoute.*" Samuel se rendormit. Et Dieu appela comme les autres fois : "*Samuel ! Samuel !*" Samuel répondit : "*Parle Seigneur, ton serviteur écoute.*" Le Seigneur dit à Samuel : "*Eli sait que ses fils désobéissent à Dieu, pourtant il les laisse agir de la sorte. C'est une très grande faute ! Ni le sacrifice, ni l'offrande ne l'effaceront.*" Samuel craignait de rapporter cette vision à Eli. Le matin, Eli interrogea Samuel : "*Quelle est la parole que Dieu t'a dite ?*" Samuel lui rapporta que la mauvaise conduite de ses fils retomberait sur sa maison. Eli dit alors : "*Il est le Seigneur. Qu'il fasse ce que bon lui semble.*"

Samuel grandissait et Dieu était avec lui. C'était un prophète : toutes ses paroles se réalisaient.

SAUL, PREMIER ROI D'ISRAËL

1 Samuel 8-10

Samuel, le serviteur de Dieu, gouverna sur Israël pendant toute la durée de sa vie. Quand il fut vieux, il demanda à ses fils de gouverner à sa place. Son aîné s'appelait Yoël, le second Abiyya. Ils étaient tous les deux juges à Bersabée. Mais ses fils n'étaient pas meilleurs que les fils d'Eli. Ils étaient malhonnêtes et ne faisaient pas respecter la loi. Les plus anciens du peuple d'Israël se réunirent pour discuter : "*Tes fils ne suivent pas ton exemple, Samuel ! Et toi tu es devenu trop vieux pour gouverner. Nous voulons un roi comme en ont les autres nations.*"

Samuel était fâché de les entendre parler ainsi. Il demanda de l'aide à Dieu. Dieu lui expliqua : "*Ce n'est pas toi qu'ils rejettent. C'est moi. Ils ne veulent plus que je règne sur eux. Les Fils d'Israël m'ont abandonné et ont adoré les idoles étrangères. Je les ai délivrés de l'assaut des Egyptiens et de l'envahissement de tous les royaumes qui les opprimaient. Je les ai pris sous ma protec-*

tion et, aujourd'hui, ils veulent un roi parmi le peuple." Dieu continua : "*Fais ce qu'ils te demandent. Donne-leur donc un roi choisi parmi le peuple.*"

Samuel invita les Fils d'Israël pour leur expliquer ce que Dieu venait de lui dire et il précisa que la loi d'un roi choisi parmi le peuple serait dure, c'est-à-dire moins juste que celle de Dieu. Il leur dit : *"Le roi qui régnera sur vous asservira vos fils. Il les prendra pour labourer, moissonner et fabriquer ses armes. Il prendra vos filles comme parfumeuses, cuisinières et boulangères. Il s'emparera de vos champs, de vos vignes et de vos oliviers. Il prendra aussi vos serviteurs et vos servantes. Vous-mêmes, vous deviendrez ses esclaves. Ce jour-là, vous vous lamenterez !"*

Un jour avant que Samuel ne rencontrât Saül, Dieu lui révéla : *"Demain, je t'enverrai un homme du pays de Benjamin. Il sera le chef de mon peuple Israël et il le délivrera de la main des Philistins. Les Fils d'Israël sont dans la misère et je ne les abandonnerai pas."* Il y avait, au sein de la tribu de Benjamin, un vaillant homme

appelé Qish. Il avait un fils du nom de Saül. Aucun des Fils d'Israël ne le valait. Alors qu'il était en chemin, à la recherche des ânesses égarées de son père, Saül rencontra Samuel. Samuel s'adressa à lui : *"C'est moi le voyant que tu cherches. A propos de tes ânesses, n'y pense plus : elles sont retrouvées."*

Ils mangèrent ensemble et le lendemain, Samuel enseigna à son invité la Parole de Dieu. Samuel prit alors une fiole d'huile et la répandit sur la tête de Saül. *"Dieu t'a choisi pour gouverner son peuple. Son esprit demeure désormais avec toi et il te guidera"*, dit-il à Saül. *"Dans sept jours, je t'apprendrai ce que tu dois faire. Tu prendras le gouvernement politique et religieux"*, poursuivit Samuel. Ensuite, Samuel annonça à tout le peuple : *"Voici celui que Dieu a choisi pour être votre roi."* Et tout le peuple l'acclama : *"Vive le roi !"*

DIEU APPELLE DAVID

1 Samuel 15-16

David est le roi idéal. Dieu l'appelle et le choisit parce que son cœur est pur. Toute sa vie David saura rester fidèle à Dieu, et revenir à lui en lui demandant pardon quand il se sera détourné de lui.

Saül était un grand guerrier. Quand il devint roi d'Israël, il partit en guerre contre tous les ennemis de son royaume. Il combattit les Philistins, les fils d'Ammon, le roi de Soba, les habitants de la terre de Moab. Il fit des prouesses, battit Amaleq et délivra Israël de ceux qui l'occupaient et le pillaient. Samuel dit à Saül : *"Le Seigneur m'a envoyé pour que tu deviennes le roi de son peuple, Israël. Il désire que tu délivres Israël des Amalécites. Fais-leur la guerre jusqu'à leur destruction totale : hommes, femmes, enfants et animaux."* Saül battit les Amalécites. Mais, contrairement à la volonté de Dieu, il tua le troupeau sans valeur et garda pour lui le gros bétail et les bêtes les plus grasses.

Dieu exprima alors son mécontentement à Samuel : *"Je regrette d'avoir choisi Saül comme roi des Fils d'Israël. Je lui ai fait confiance et il m'a désobéi."* Samuel fut très irrité. Il dit à Saül : *"Je vais t'apprendre ce que le Seigneur m'a dit pendant la nuit."* Saül lui dit : *"Parle."* Alors Samuel déclara : *"Toi qui reconnaissais ta petitesse, n'es-tu pas devenu le chef des tribus d'Israël ? Il t'a envoyé en campagne et t'a donné cet ordre : Va, livre ces impies, les Amalécites, à l'extermination. Pourquoi n'as-tu pas obéi à Dieu ? Pourquoi t'es-tu jeté sur le butin et as-tu fait le mal aux yeux du Seigneur ? Dieu préfère l'obéissance et la docilité aux sacrifi-*

ces et à la graisse des béliers."

Saül répondit à Samuel : *"J'ai désobéi parce que j'ai eu peur de ce que le peuple allait dire de moi. Alors j'ai fait sa volonté et non celle de Dieu. Je regrette ce que j'ai fait. Reviens avec moi pour que je demande pardon à Dieu."* Mais Samuel déclara : *"Je ne reviendrai pas avec toi. Parce que tu as désobéi à Dieu, tu ne seras plus roi d'Israël."*

Quand Samuel fut sur le point de le quitter, Saül, bouillant de colère, déchira son manteau. Samuel lui dit : *"Le Seigneur t'a enlevé le royaume d'Israël, aujourd'hui, et il l'a donné à un autre, meilleur que toi."* Alors, Saül le supplia à nouveau : *"C'est vrai, j'ai désobéi au Seigneur. Mais je t'en prie, reviens avec moi pour que je me prosterne devant Lui."* Samuel y consentit et emmena Saül pour qu'il demandât pardon au Seigneur.

Après cela, Dieu envoya Samuel chez Jessé à Bethléem. Depuis le départ de Saül, Samuel pleurait beaucoup.

Le Seigneur lui dit : *"Vas-tu longtemps pleurer Saül, alors que je l'ai moi-même rejeté et qu'il n'est plus roi d'Israël ? Prends une fiole d'huile et cours vite chez Jessé."* Puis, il ajouta : *"J'ai choisi un roi parmi ses fils."* Jessé avait huit fils. Il en présenta sept à Samuel. *"Dieu n'a choisi aucun de ceux-là"*, conclut Samuel. Il insista : *"M'as-tu vraiment présenté tous tes fils ?* Jessé répondit : *"Il reste encore le plus jeune. Il garde le troupeau."* Samuel ordonna : *"Va le cher-*

cher. Nous ne nous mettrons pas à table avant son arrivée." Jessé alla le chercher. Dieu dit : *"C'est lui."* Samuel prit la fiole d'huile et lui donna l'onction au milieu de ses frères.

A partir de ce jour, David fut rempli de l'Esprit du Seigneur. Quant à Samuel, il se mit en route et partit pour Rama.

David entra au service de Saül. Comme il était musicien, il prenait la cithare et en jouait pour écarter les mauvais esprits qui assaillaient Saül.

DAVID ET GOLIATH

1 Samuel 17

Alors que David allait et venait de chez Saül au soin du troupeau de son père à Bethléem, les Philistins rassemblèrent leurs troupes pour la guerre. Les Philistins

occupaient la montagne d'un côté, les Israélites et Saül s'étaient établis de l'autre côté. Une profonde vallée les séparait. Goliath, un Philistin très impressionnant tant il était grand et fort, lança un défi aux hommes d'Israël : *"Pourquoi êtes-vous sortis vous ranger en bataille ? Ne suis-je pas, moi, le Philistin, et, vous, n'êtes-vous pas les esclaves de Saül ?"* Il ajouta : *"Choisissez donc un de vos hommes ! Si en luttant avec moi il l'emporte, alors nous serons vos serviteurs. Si je le bats, alors nous gagnerons la guerre et vous deviendrez nos esclaves."* Saül et tout le peuple d'Israël eurent très peur.

David accepta de relever le défi avec beaucoup de courage. Il dit à Saül : *"Que personne ne perde courage à cause de ce Philistin. Moi, ton serviteur, j'irai me battre avec lui." "Que le Seigneur soit avec toi !"*

lui dit Saül. David prit son bâton, il choisit cinq cailloux bien ronds et les mit dans une poche de son sac de berger. Puis, il marcha vers le Philistin. Goliath s'approcha de David avec son bouclier. Lorsqu'il le vit, il le regarda avec mépris car c'était un jeune garçon ; il était roux et de belle apparence. Le Philistin lui dit : *"Suis-je donc un chien, pour que tu viennes contre moi avec un bâton ?"* Et il lui lança une malédiction en invoquant ses dieux. Il dit à David : *"Viens ici ! Que je te réduise en nourriture pour les oiseaux et les bêtes sauvages !"* Goliath était très puissant mais David ne se laissa pas impressionner. Il lui dit : *"Tu veux me combattre avec ta lance mais moi je te combats au nom du Dieu d'Israël. Aujourd'hui, je vais te trancher la tête. Toute la terre saura qu'il y a un Dieu pour Israël et que le Seigneur ne donne pas la victoire avec l'épée et la lance."* David s'élança vers Goliath et courut vers les rangs des ennemis. Il prit un caillou dans son sac et le lança avec sa fronde. Il atteignit le Philistin au front, le caillou s'y enfonça, et Goliath tomba la face contre terre.

Ainsi David triompha avec une fronde et un caillou : quand il frappa le Philistin à mort, il n'avait pas d'épée à la main. David se précipita, et, arrivé près du Philistin, il lui prit son épée, qu'il tira du fourreau, et le tua en lui tranchant la tête. Quand les Philistins virent que leur champion était mort, ils prirent la fuite.

Quand il revint à la cour du roi Saül, David eut l'agréable surprise de gagner l'amitié du fils de Saül et cela lui réjouissait le cœur.

SAÜL EST JALOUX DE DAVID

1 Samuel 18-31, 2 Samuel 1

Quand David eut triomphé des Philistins et tué Goliath, il revint à la cour de Saül. En guise d'acclamation, les femmes d'Israël dansaient et chantaient au son du tambourin : *"Saül a combattu des milliers d'hommes ; David, des dizaines de milliers !"*

Saül était très fâché et, à partir de ce jour, il regarda David d'un œil jaloux. *"Il*

veut être roi à ma place, mais je ne le laisserai pas faire une telle chose !" pensait-il.

Le lendemain, alors que David jouait de la cithare, Saül brandit sa lance contre David. David l'évita par deux fois.

Alors Saül eut peur de David parce que Dieu était avec lui et que le peuple d'Israël l'aimait beaucoup.

Il se souvenait de la parole de Samuel : *"Saül, parce que tu as désobéi à Dieu, tu ne seras plus roi d'Israël."*

Dans une grande colère, Saül décida de tendre un piège à David. Mikal, la fille de Saül, aimait David. Elle le fit savoir à son père. Saül consentit à leur mariage mais, en retour, il exigea de David qu'il combattît cent Philistins. Il espérait en secret sa mort.

Or, David revint à la cour de Saül après avoir tué deux cents Philistins ! David remportait beaucoup de succès et Saül lui fut de plus en plus hostile. *"Cette fois, c'est trop ! David est très fort ! Dieu est vraiment avec lui et le protège !"* se disait-il.

Il parla à son fils Jonathan et à tous ses serviteurs de son projet de faire mourir David.

Jonathan, le fils de Saül, aimait beaucoup son ami David. Il était bien décidé à l'aider. Il se dépouilla du manteau qu'il portait et le lui donna. Ainsi que son épée, son arc et son ceinturon. Il l'avertit : *"Mon père est très jaloux de toi. Il cherche à te faire mourir. Cache-toi vite !"*

Une nuit Saül envoya des soldats pour surveiller la maison de David et le tuer dès le matin. Mikal, mise au courant, dit à David : *"Si tu ne sauves pas ta vie cette nuit, demain tu seras mis à mort."* Alors elle fit descendre son époux par la fenêtre. David prit la fuite et fut sauvé. Mikal prit une sorte de marionnette, la plaça sur le lit, mit à son chevet le filet en poil de chèvre et la couvrit d'un vêtement. Quand les soldats de Saül vinrent s'emparer de David, ils ne trouvèrent pas David. Alors Saül dit à Mikal : *"Tu m'as trompé ! Tu as laissé partir mon ennemi !"* Le roi continua d'inventer toutes sortes de ruses pour se débarrasser de David. Toujours en vain. Saül était si jaloux de David et de l'amitié qu'il nourrissait avec Jonathan, qu'ils durent tous deux ne plus se revoir. Cela était très dur car leur amitié était très forte.

Un jour les Philistins firent la guerre contre les fils d'Israël sur le mont Gelboé.

Dans la bataille, Saül et Jonathan furent tués. Quand David apprit cette nouvelle, il pardonna au roi qui l'avait tant persécuté. Car David était très bon et respectait celui que Dieu avait choisi autrefois. Il pleura amèrement et composa cette complainte :

"Saül et Jonathan étaient aimables
et charmants.
Ils étaient unis dans la vie.
Ils le sont maintenant dans la mort.
Ils étaient plus rapides que les aigles.
Ils étaient plus forts que les lions.
Filles d'Israël, pleurez sur Saül,
qui vous vêtait de pourpre et de linge fin
et qui sur vos habits mettait des atours d'or.
Je suis si triste de savoir que tu es mort,
Jonathan.
Ton amitié était si précieuse ! Tu avais pour
moi tant de charmes !
Les héros sont tombés !"

LE ROI DAVID
2 Samuel, 1 Chroniques 11, 14

Autour de David, Israël trouve sa cohésion et réalise la promesse faite par Dieu à Abraham : "Je ferai de toi une grande nation."
Dans l'attente d'Israël, le messie ne pourra qu'être "Fils de David" et "Roi des Juifs".

Après la mort de Saül, la prophétie de Samuel se réalisa. David avait alors trente ans. Toutes les tribus d'Israël vinrent le

trouver à Hébron et lui dirent : *"Nous voulons que tu deviennes notre roi."* Un ancien prit une fiole d'huile et la répandit sur la tête de David en signe de sa royauté sur Israël. Dieu était avec lui et il devint de plus en plus puissant. Hiram, le roi de Tyr, lui fit construire une très belle maison en bois de cèdre. David fit venir l'arche d'Alliance – un coffre contenant la Loi divine – dans la nouvelle capitale : Jérusalem. On l'installa au milieu de la tente que David avait dressée pour elle. Puis on offrit devant le Seigneur des sacrifices. Enfin installé dans sa maison, David exprima le désir de bâtir un temple pour y abriter l'arche. David régna pendant quarante ans. Dix siècles plus tard Jésus naîtra. On l'appellera fils de David, car il sera son descendant.

BETHSABÉE

2 Samuel 11-12

David avait déjà deux épouses. Il en voulait une troisième du nom de Bethsabée.

Or celle-ci était mariée à Urie le Hitti-

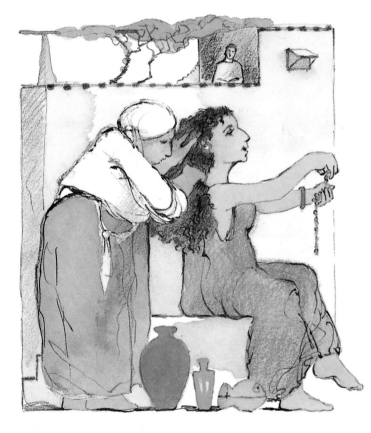

te. Cette femme était très belle et David conçut avec elle un enfant.

Elle en informa David. Alors, David envoya chercher Urie le Hittite pour l'envoyer à la guerre. Il espérait ainsi le faire mourir.

Il ordonna à ses hommes : *"Mettez Urie en première ligne, au plus fort de la bataille.*

Puis vous reculerez derrière lui."

Au cours du combat, Urie le Hittite fut atteint et mourut. A l'annonce de la mort de son mari, Bethsabée pleura amèrement.

David la recueillit chez lui et la prit pour femme. Elle enfanta un fils. Mais ce que venait de faire David déplut beaucoup à Dieu.

Alors, Dieu lui envoya le prophète Natân. Il entra chez lui et lui dit : *"Dans une même ville, il y avait deux hommes. L'un riche, l'autre pauvre. Le riche possédait des brebis et des bœufs en quantité. Le pauvre n'avait qu'une petite brebis. Elle grandissait chez lui avec ses enfants et mangeait le même pain. Un jour, un voyageur vint chez l'homme riche. Pour nourrir son invité, le riche alla voler la brebis du pauvre."* En écoutant ce récit, David fut très en colère contre cet homme riche. *"Cet homme est sans pitié !"* fit-il remarquer.

Alors Nâtan dit à David : *"Cet homme, c'est toi. Tu as agi comme lui en envoyant à la guerre Urie le Hittite et en prenant sa femme. Dieu n'a-t-il pas dit : Tu ne tueras pas et tu resteras fidèle à ta femme. Dieu t'a donné la maison d'Israël et de Juda et tu as fait le mal à ses yeux. Parce que tu as désobéi à Dieu, ton fils ne vivra que sept jours."* L'enfant tomba malade. David implora Dieu et se mit à jeûner. Le septième jour, l'enfant mourut. Les serviteurs de David redoutaient de lui annoncer cette nouvelle. Mais David vit qu'ils chuchotaient entre eux et il comprit. David consola Bethsabée. Plus tard, elle enfanta un autre fils. On l'appela Salomon, ce qui signifie "Aimé de Dieu".

ABSALOM

2 Samuel 15-18

De tous les fils du roi David, Absalom était celui que le peuple préférait. Absalom était très fier de l'admiration qu'on lui portait. En fait, il séduisait le cœur des gens d'Israël pour devenir roi à son tour. *"Si seulement j'avais le pouvoir, je gouvernerais sagement"*, songeait-il.

Il demanda à son père la permission de se rendre à Hébron pour rendre un culte à Dieu. Le roi lui dit : *"Va en paix, mon fils."* Absalom se mit en route. Il ordonna à des messagers de toutes les tribus d'Israël : *"Au son de la trompette, vous annoncerez : Absalom est devenu roi à Hébron !"* David fut aussitôt averti de ce qui se passait. Il dit à tous ses serviteurs qui étaient avec lui à Jérusalem : *"En route ! Fuyons. Sinon Absalom aura vite fait de passer la ville au fil de l'épée."* Il fut très triste à l'idée de devoir se battre contre son fils bien-aimé. Cependant le roi gardait confiance en Dieu et attendait de lui une consolation dans sa grande détresse.

La guerre fut déclarée. David passa en revue le peuple qui était avec lui et il nomma des chefs. Le roi désirait gagner la bataille mais il aimait son fils. Il dit à ses soldats : *"Epargnez mon fils, ne lui faites aucun mal !"* Tout le peuple entendit le roi donner cet ordre à tous les chefs au sujet d'Absalom.

Alors qu'Absalom montait un mulet il s'engagea sous un arbre. Sa tête se prit entre les branches. Un des soldats de David le frappa et l'acheva.

Quand David apprit la mort de son fils, il fut rempli de douleur. Il se sentait déchiré entre son amour pour son fils et son devoir de roi pour le bien du peuple. Il monta dans sa chambre et se mit à sangloter : *"Mon fils Absalom ! Mon bien-aimé ! Pourquoi ne suis-je pas mort à ta place ?"* Ce jour-là, la victoire était bien triste. Le peuple rentra furtivement dans la ville, tout honteux. Le roi, lui, s'était voilé le visage.

LES PSAUMES DE DAVID Psaumes 23, 51, 139

Psaume 23

"Dieu est mon berger,
je ne manque de rien.
Il me conduit sur des prés d'herbe fraîche.
Il donne force à mon âme,
il me montre sa justice, son nom est grand.
Quand je marche dans la nuit
et les difficultés,
je ne crains aucun mal,
car Dieu veille sur moi.
Il me rassure.
Devant moi, Dieu prépare une table
face à mes ennemis ;
Il a répandu de l'huile parfumée sur ma tête,
ma coupe déborde.
Le bonheur et la grâce de Dieu
m'accompagnent tous les jours de ma vie ;
et j'habiterai la maison de Dieu
pour toujours."

Le psaume 51 a été écrit après que David eut pris Bethsabée pour épouse :

"Aie pitié de moi, ô Dieu,
pardonne ma faute et purifie mon âme.
Tu es infiniment bon et plein de tendresse.
Ton amour est infaillible.
Donne-moi un cœur pur
et un esprit paisible.
Ne m'abandonne pas
et remplis-moi de ton esprit."

Extrait du psaume 139

"Seigneur, tu sais tout
et tu me connais ;
tu sais quand je m'assois
et quand je me lève,
tu connais mes pensées,
mes chemins te sont familiers.

Je n'ai pas encore parlé
et tu sais déjà ce que je vais dire.
Où fuirais-je ton esprit et ton visage ?
Dans le ciel, tu es là,
dans les profondeurs de la terre,
tu es là.
Si je m'aventure sur la mer
ou dans les airs,
partout ta main me conduit
et tu me guides.

Même la nuit n'est pas nuit
devant toi ;

Les ténèbres sont
comme la lumière
C'est toi
qui m'as formé.
Dans le sein de ma mère,
tu m'as façonné.
Je te remercie pour ce que je suis
et pour toutes les merveilles.
Conduis-moi toujours.

LE ROI SALOMON

1 Rois 1-3

Le roi David était maintenant un vieillard sans force. Malade, il gouvernait de son lit. Mais il avait besoin de beaucoup de soins et d'assistance. *"Désormais, je ne peux plus gouverner !"* pensait-il. David savait que Dieu avait choisi Salomon pour lui succéder.

Or, Adonias, l'un des fils du roi David, proclamait partout : *"C'est moi qui régne-*

rai !" Le prophète Natân rapporta à Bethsabée, la mère de Salomon : *"Sais-tu qu'Adonias est devenu roi à l'insu de David ?"* Bethsabée courut chez le roi David. Elle s'agenouilla au pied de son lit et lui dit : *"N'as-tu pas promis que ton fils Salomon régnerait après toi ?"* *"Salomon régnera aujourd'hui-même sur Israël et Juda. Dieu en a décidé ainsi"*, lui répondit David.

On emmena Salomon à Gihôn. On répandit une fiole d'huile sur sa tête et les trompettes retentirent. Tout le peuple l'acclama avec des chants et des danses : *"Vive le roi Salomon !"*

David sentait que sa vie approchait de la fin. Il fit ses recommandations à Salomon : *"Sois fort et observe les commandements de Dieu selon la loi de Moïse. Si tu agis avec sagesse, il y aura toujours un roi pour gouverner Israël."* Puis David se coucha et mourut.

Alors, le roi Salomon se rendit à Gabaon pour adorer Dieu. Le Seigneur lui apparut en songe : *"Demande-moi ce que tu veux, Salomon, et je te le donnerai."* Salomon lui répondit : *"Tu m'as fait roi à la place de David mais je suis encore très jeune. Je ne sais pas diriger un peuple ! Donne-moi la sagesse et un cœur attentif pour discerner le bien du mal. Sans cela je ne pourrai pas gouverner ton peuple si nombreux !"*

La bonne volonté de son serviteur Salomon plut à Dieu. Il lui dit : *"Puisque tu as demandé la sagesse pour gouverner et non pas une longue vie, ni la richesse, ni la mort de tes ennemis, je fais ce que tu m'as demandé."* Dieu lui donna un cœur intelligent et sage.

Et, puisque Salomon était un homme de bonne volonté, Dieu lui accorda aussi la richesse et la gloire. Salomon entra à Jérusalem, il s'agenouilla devant l'arche d'Alliance et adora Dieu. Il offrit des holocaustes et fit des sacrifices de paix, puis il fit un festin pour tous ses serviteurs.

Très vite la sagesse de Salomon fut mise à l'épreuve. Deux femmes se rendirent à la cour du roi. Elles se querellaient parce que toutes les deux avaient mis au monde un enfant et que l'un d'entre eux était mort. *"Mon fils est celui qui est vivant et ton fils celui qui est mort"*, se disputaient-elles. Le roi dit : *"Celle ci dit : Mon fils, c'est le vivant, et ton fils, c'est le mort ; et celle-là dit : Non ! Ton fils c'est le mort, et mon fils*

c'est le vivant." Salomon ordonna : *"Apportez-moi une épée et partagez l'enfant vivant en deux ! Donnez-en une moitié à l'une et une moitié à l'autre."* Prise de pitié, la femme dont le fils était vivant supplia Salomon de ne pas tuer son enfant. Elle était si émue qu'elle dit au roi : *"Donnez-lui le bébé vivant, mais ne le tuez pas !"* Tandis que l'autre femme disait : *"Il ne sera ni à moi, ni à toi. Coupez !"* Le roi prit la parole : *"Donnez l'enfant vivant à la première femme. C'est elle la mère."*

Tout le peuple d'Israël entendit parler du jugement qu'avait rendu le roi. Il fut aimé et respecté, car on avait vu qu'il avait en lui une sagesse divine pour rendre la justice.

La Sagesse de Salomon

Le règne de Salomon fut prestigieux. Il avait pour lui : la sagesse.

Proverbes 3

"Mon fils, n'oublie pas ce que je t'ai enseigné, et garde mes commandements dans le secret de ton cœur… Adore Dieu et montre-toi fidèle, inscris ces deux qualités dans ton cœur et tu vivras heureux longtemps."

Proverbes 10

"Quand la tempête souffle, plus de méchants ! Mais, pour toujours, le juste résiste."

Proverbes 12

"Les paroles des méchants sont comme des pièges, celles de l'homme juste délivrent et guérissent."

Proverbes 14

"Celui qui adore et honore Dieu est sous sa protection, ses enfants également."

Proverbes 15

"Une aimable réponse est apaisante, une parole blessante fait monter la colère."

Proverbes 17

"Mieux vaut manger du pain sec et avoir la tranquillité que de vivre dans une maison où l'on fait des festins, mais dans laquelle les hommes ne s'entendent pas."

Les hébreux enseignaient à leurs enfants la sagesse. Ils leur disaient : Ecclésiaste 3

"Il y a un temps pour chaque chose.
Un temps pour enfanter,
et un temps pour mourir.
Il y a un temps pour détruire,
et un temps pour bâtir.
Un temps pour pleurer,
et un temps pour rire.
Un temps pour aimer,
et un temps pour haïr ;
un temps pour la guerre,
et un temps pour la paix."

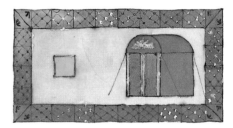

La Construction du Temple

2 Samuel 7, 1 Rois 5-6

De son vivant, le roi David voulait bâtir un temple en l'honneur de Dieu. Il avait dit au prophète Natân : *"J'habite un splendide palais et l'arche d'Alliance – signe de la présence de Dieu – est abritée sous une tente !"* Mais Dieu lui dit que cette tâche

serait confiée à Salomon à cause des nombreuses guerres de l'époque. Salomon entreprit donc de construire ce temple. Le roi de Tyr, qui fut l'ami de David, entendit dire que Salomon avait été sacré roi à la place de son père. Il envoya ses serviteurs et procura à Salomon du bois de cèdre et de genévrier, mais aussi des pierres de choix en quantité. Dans la partie centrale du temple, Salomon aménagea une chambre sacrée pour y mettre l'arche de l'Alliance. Il plaqua la chambre d'or fin, ainsi que l'autel qu'il recouvrit également de bois de cèdre. Le temple fut construit en sept ans.

Salomon s'adressa à Dieu et lui dit : *"C'est ici que les hommes viendront te rencontrer et t'adorer. Écoute-les et exauce leurs demandes. Toi seul connais le secret de leurs cœurs. Et si, à cause de ton Nom, un étranger, qui n'est pas de ton peuple d'Israël, vient prier dans ce temple, écoute-le. Ainsi, tous les peuples de la terre sauront que ce temple est le lieu où ton Nom est invoqué."*

La Reine de Saba Rend Visite a Salomon

1 Rois 10, 2 Chroniques 9

La reine de Saba entendit parler de la grande sagesse de Salomon. Elle se rendit

à Jérusalem avec des chameaux chargés d'aromates, d'or en quantité et de toutes sortes de pierres précieuses. Quand elle fut auprès de Salomon, elle lui posa beaucoup de questions au sujet de Dieu. Aucune de ses questions n'était difficile pour Salomon et il éclairait beaucoup l'esprit de la reine. Tandis qu'il lui dévoilait le secret de sa sagesse et lui parlait des offrandes qu'il faisait chaque jour à Dieu, la reine de Saba lui dit : *"Tout ce que j'ai entendu dire sur toi et la sagesse que Dieu a mise dans ton cœur, c'est donc vrai ! Je n'avais pas cru à ces propos tant que je n'étais pas venue et que je n'avais pas vu de mes yeux. Heureux ceux qui peuvent en permanence écouter ta sagesse !"*

Le roi Salomon était le plus riche et le plus sage des rois de la terre. Il avait une grande renommée. Salomon régna quarante ans sur Israël. Quand il mourut, on l'enterra dans la Cité de David, son père.

LE PROPHÈTE ELIE ET LA VEUVE

1 Rois 11 & 17

Accaparé par l'ambition des royaumes de la terre, Israël oublie bien vite sa mission spirituelle. Alors Dieu suscite des prophètes qui se font les messagers de son dessein. Mais, en réveillant l'espérance de leurs contemporains, les prophètes dépassent l'actualité en annonçant la venue imminente d'un sauveur qui établira une Alliance nouvelle et éternelle.

Roboam, le fils de Salomon régna à la place de son père. Les Fils d'Israël recommencèrent à faire le mal aux yeux du Seigneur.

Même Salomon à la fin de sa vie avait désobéi à Dieu en adorant les dieux étrangers. A cause de cela, Dieu lui avait dit : *"Ta richesse t'a rendu infidèle. Puisque toi aussi tu as trahi mon Alliance, j'enlèverai le royaume de la main de ton fils."*

En ces temps d'infidélité, Dieu envoya aux hommes le prophète Elie. Il était le

messager du vrai Dieu d'Israël.

Elie fit un songe dans lequel Dieu lui dit : *"Parce que les hommes ont rendu un*

culte aux idoles étrangères, il ne pleuvra plus pendant des mois et les hommes souffriront d'une terrible famine."

Puis, Dieu lui demanda de se préparer pour un très long voyage. *"Va vers l'orient, à l'est du Jourdain. Tu boiras au torrent et les corbeaux t'apporteront du pain et de la viande."*

Elie partit et agit selon la parole du Seigneur ; il s'en alla habiter dans le ravin de Kérith, qui est à l'est du Jourdain. Les corbeaux lui apportait du pain et de la viande matin et soir.

Un jour, le torrent sécha et Dieu guida Elie jusqu'à Sarepta. Là, il rencontra une veuve et lui demanda une cruche d'eau et un morceau de pain. Elle alla chercher de l'eau et dit : *"Je n'ai plus qu'un peu de farine et d'huile. Mon fils et moi allons mourir de faim !"*

"N'aie pas peur ! Fais un feu et prépare des petites galettes. Car Dieu m'a promis :
Jarre de farine ne se videra,

Cruche d'huile ne désemplira,
jusqu'au jour où le Seigneur
donnera la pluie à la terre."

Elle s'en alla et fit comme Elie avait dit. Ils mangèrent tous les trois. Dieu tint sa promesse. La jarre de farine et la cruche d'huile ne se vidèrent pas.

Après ces événements, le fils de la veuve tomba très malade et il mourut. *"Es-tu venu chez moi pour me punir de mes fautes et faire mourir mon fils ?"* demanda-t-elle avec inquiétude à Elie.

Elie prit l'enfant et le monta dans sa chambre. Il s'adressa à Dieu : *"Veux-tu du mal même à cette veuve chez qui je suis venu*

vivre, au point que tu fasses mourir son fils ?" Puis, il invoqua Dieu : *"Redonne la vie à cet enfant, je t'en prie !"*

Dieu exauça Elie et l'enfant reprit vie. Il descendit avec lui de sa chambre et interpella la veuve : *"Ton fils est vivant !"* La veuve comprit alors qu'Elie était un homme de Dieu.

Elle lui dit : *"Tu es un prophète !"*

ELIE ET LES IDOLES ÉTRANGÈRES

1 Rois 18

Pendant le règne du roi Achab, les fils d'Israël continuaient d'adorer les idoles étrangères.

Elie alla à la rencontre d'Achab et il lui dit très fâché : *"Toi et ton peuple, vous avez abandonné le Dieu d'Israël pour vouer un culte au faux dieu. Rassemble ton peuple sur le mont Carmel, je vais lui parler."*

Elie s'approcha du peuple et lui dit : *"Je suis le seul prophète du vrai Dieu. Baal, votre idole, en a quatre cent cinquante. Vous appellerez votre dieu et j'appellerai le mien. Celui qui répondra par le feu sera le vrai Dieu."* Ils crièrent mais il n'y eut ni voix ni réponse.

Elie se moqua d'eux : *"Votre dieu est-il parti en voyage ou peut-être dort-il ?"* Ils crièrent plus fort. Il n'y eut pas le moindre signe. Dans l'après-midi, ils se livrèrent à des transes prophétiques mais il n'y eut ni voix ni réponse. Elie dit à la foule : *"Approchez"*, et toute la foule s'approcha de lui.

Alors Elie prit douze pierres et construisit un autel en l'honneur du vrai Dieu. Il alla chercher du bois et un taureau qu'il plaça sur l'autel en guise de sacrifice. Il s'approcha et dit : *"Seigneur, Dieu d'Abraham, d'Isaac et d'Israël, donne à ce peuple un signe ! Qu'il sache que tu es le vrai Dieu !"* Le feu de Dieu tomba sur l'autel. Il dévora le sacrifice, le bois, les pierres et la poussière, ainsi que l'eau qui était dans la rigole. Tout le peuple en fut témoin, les gens tombèrent la face contre terre et dirent : *"Elie a raison : Baal est un faux dieu ! Adorons le Dieu d'Israël !"* Ils saisirent les prophètes de Baal et les firent mourir.

Elie dit à Achab : *"Viens, suis-moi car le grondement de l'averse retentit."* Avant de partir, Elie monta au sommet du mont Carmel. Il se prosterna à terre, le visage entre les genoux. Un petit nuage, gros comme le poing, s'éleva de la mer. Il y eut beaucoup de vent. Alors le ciel se couvrit de gros nuages et le vent se leva. Il se mit à pleuvoir beaucoup. Ce fut la fin de la sécheresse.

ELIE SUR LA MONTAGNE

1 Rois 19

Poursuivi par le roi Achab, Elie prit la fuite. Il s'en alla au désert, à une journée de marche. Là, il dit au Seigneur : *"Prends ma vie, car je ne vaux pas mieux que mes ancêtres."* L'ange du Seigneur le toucha et dit : *"Allez, lève-toi et mange. La route va être longue !"* Elie se leva, il mangea et marcha pendant quarante jours et quarante nuits jusqu'à la montagne de Dieu, l'Horeb. Le lieu même où Dieu se montra à Moïse autrefois. Comme la nuit tombait, Elie entra dans une grotte et resta là pour la nuit. Et voici que Dieu s'adressa à lui : *"Que fais-tu ici, Elie ?"* Elie répondit : *"J'en ai assez et je suis très triste ! Les fils d'Israël t'ont abandonné et ils ont tué tes prophètes. Maintenant je reste seul et les serviteurs du roi Achab me poursuivent."*

Dieu lui dit : *"Sors, et tiens-toi dans la montagne devant moi."* Et voici que Dieu se montra. Il y eut une grande tempête qui déchirait les montagnes, mais Dieu n'était pas dans cette grande tempête. Après le vent, il y eut un tremblement de terre mais Dieu n'était pas dans ce tremblement de terre. Puis, il y eut le feu. Dieu n'était pas dans le feu. Et après le feu, le bruit d'une brise légère. C'était l'esprit de Dieu. Dès qu'Elie l'entendit, il se voila la face de son manteau, sortit et se tint à l'entrée de la grotte. Dieu dit à Elie : *"Va à Damas. Là, tu rencontreras Elisée et tu le nommeras prophète. C'est lui qui te succédera."*

Elie quitta la montagne et prit le che-

min du désert de Damas. Là, il rencontra Elisée. Elie passa près de lui et jeta son manteau sur lui. Elisée courut derrière Elie et lui dit : *"Donne-moi le temps d'embrasser mon père et ma mère et je viendrai avec toi."* Elisée abandonna ses bœufs et les offrit en sacrifice. Avec l'attelage, il fit cuire leur viande qu'il donna en nourriture aux siens. Puis il se leva, suivit Elie et se mit à son service.

ELISÉE SUCCÈDE À ELIE

2 Rois 2

Elisée était le fidèle serviteur d'Elie. Alors qu'ils partaient tous les deux de Guilgal, Elie dit à son compagnon : *"Reste donc ici et repose-toi. Dieu m'envoie aujourd'hui en plusieurs endroits."* Elisée lui répondit : *"Tant que tu vivras, je ne te quitterai pas !"* Ils s'en allèrent donc tous les deux. A Béthel et à Jéricho, un groupe de prophètes vint à la rencontre d'Elisée : *"Sais-tu qu'aujourd'hui Dieu va rappeler ton maître auprès de lui ?"* *"Je le sais !"* dit Elisée.

Dès qu'ils eurent traversé les eaux du Jourdain, Elie demanda à Elisée : *"Que puis-je faire pour toi avant de retourner auprès de Dieu ?"* Elisée répondit : *"Donne-moi ton esprit."* *"Tu me demandes une chose difficile. Si tu me vois pendant mon départ vers le ciel, alors il en sera ainsi pour toi, sinon cela ne sera pas."*

Alors qu'ils marchaient en discutant, un char et des chevaux de feu les séparèrent. Elie monta au ciel dans un tourbillon. Elisée voyait la scène et criait : *"Mon père ! Mon père !"* Puis, il cessa de voir. Il saisit alors ses vêtements et les déchira en deux. Il ramassa le manteau qui était tombé des épaules d'Elie, revint vers le Jourdain et s'arrêta sur la rive. Là, les prophètes de Jéricho le virent. Ils s'approchèrent d'Elisée et dirent : *"L'esprit d'Elie veille maintenant sur son fidèle serviteur ! Elisée est son successeur !"* Et ils se prosternèrent devant lui.

LES MIRACLES D'ELISEE

2 Rois 4-5

Elisée hérita de l'esprit d'Elie. Il était lui aussi un homme de Dieu. La femme d'un prophète le savait et l'implora : *"Mon mari est mort. Et comme nous avons beaucoup de dettes, on est venu me prendre mes deux enfants pour en faire des esclaves. Or, je n'ai qu'un petit flacon d'huile à vendre pour rembourser mes dettes !"* *"Rentre chez toi, emprunte des vases à tes voisins et verses-y ton huile"*, lui dit le prophète Elisée. Or l'huile se mit à couler à flots et le petit flacon ne se vidait jamais. Quand les vases furent pleins, la veuve partit vendre l'huile. Elle put rembourser sa dette et ses deux fils furent de nouveau libres.

Une autre fois, Elisée délivra de la lèpre un homme du nom de Naamân. Il était chef de l'armée du roi de Syrie. Une petite fille d'Israël qui était au service de la femme de Naamân connaissait les pouvoirs d'Elisée. Elle dit à sa maîtresse : *"Si Naamân s'adressait au prophète de Samarie, il le guérirait de sa lèpre !"*

Alors, le roi de Syrie rédigea une lettre au roi d'Israël en lui demandant de délivrer Naamân de sa lèpre. Naamân se mit en route en emportant beaucoup d'argent et des habits de fête. Il présenta la lettre au roi d'Israël qui la lut et dit : *"Que puis-je faire pour toi ? Je ne suis pas Dieu ! Je n'ai pas le pouvoir de donner la vie et la mort !"*

On informa Elisée de la demande de Naamân. *"Qu'il vienne me voir !"* Naamân s'arrêta à la porte de la maison d'Élisée. Le prophète lui envoya un messager pour lui dire : *"Baigne-toi sept fois dans le Jourdain et tu seras guéri."* Naamân était très vexé de ce qu'Élisée n'ait pas daigné venir lui-même à sa rencontre. Cependant il suivit son conseil et se plongea sept fois dans le Jourdain. Alors sa peau redevint nette comme celle d'un petit enfant. Rempli de joie, Naamân promit qu'il n'adorerait plus d'autres divinités étrangères. *"Il n'y a qu'un seul Dieu pour toute la terre ! C'est celui d'Israël !"*, clamait-il.

Un autre jour, les compagnons d'Élisée lui dirent : *"La maison où nous habitons est devenue trop petite pour nous. Allons au bord du Jourdain pour y couper du bois avec lequel nous construirons une nouvelle demeure."*

Arrivés au Jourdain, il commencèrent à abattre des arbres quand le fer de la hache d'un des bûcherons se sépara du manche et tomba dans le fleuve. L'homme était désespéré car c'était un outil qu'on lui avait prêté.

Mais Elisée lui demanda : *"Où est-il tombé ?"* et l'autre lui indiqua l'endroit. Alors la cognée en fer se mit à flotter comme un bout de bois, si bien que le bûcheron put le récupérer au fil du courant.

JÉHU ET JÉZABEL
2 Rois 9-10

Le royaume d'Israël était désormais séparé. Il y avait d'un côté celui du Sud (Juda) et de l'autre celui du Nord (Israël). Les gouverneurs d'Israël, le roi Ochozias et la reine Jézabel étaient animés de mauvaises intentions. Ils faisaient le mal aux yeux du vrai Dieu en adorant les idoles étrangères.

Alors le prophète Elisée ordonna à l'un de ses compagnons d'aller chercher Jéhu, de lui donner l'onction royale et de le proclamer nouveau roi d'Israël. L'envoyé d'Elisée accomplit sa mission et, en versant l'huile sainte sur la tête de Jéhu, il lui

dit : *"Ainsi parle le Seigneur : 'Je t'ai nommé roi d'Israël à la place du roi Ochozias parce que celui-ci m'est infidèle.'"* Alors Jéhu leva une armée, renversa Ochozias et lui

donna la mort.

Quand la reine Jézabel apprit la venue de Jéhu, elle mit ses habits de fête et tenta de le séduire. Mais Jéhu ne tomba pas dans le piège qu'elle lui tendait. Jéhu régna sur Israël pendant vingt-huit ans. Cependant il ne fut pas meilleur que les autres rois. Il se détourna lui aussi du vrai Dieu.

JOAS : L'ENFANT ROI

2 Rois 11

Après la mort du roi son fils, Athalie voulut gouverner à son tour. Alors, elle fit exterminer les héritiers du trône. En apprenant cela, la sœur du roi défunt prit Joas, son neveu, et le cacha pendant six années dans le Temple.

La septième année, le prêtre Yehoyada décida de présenter Joas au peuple d'Israël. Le prêtre donna aux gardes les boucliers du roi David. Yehoyada fit sortir Joas. Il le proclama roi et lui remit les documents de l'Alliance.

En entendant les acclamations du peuple, la reine Athalie courut au Temple. Quand elle vit le roi, elle cria *"Trahison ! Trahison !"* Mais Athalie fut mise à mort et Joas prit place sur le trône royal.

Il avait juste sept ans et il gouverna à Jérusalem pendant quarante ans. C'était un homme juste et fidèle à Dieu.

JOSIAS ET LE LIVRE DE LA LOI

2 Rois 22-23

Comme Joas, Josias devint roi très jeune. Il n'avait que huit ans ! C'était un bon roi imitant en tout son ancêtre David. Comme Joas, le roi Josias entreprit de faire des réparations dans le Temple de Dieu. A cette occasion, le grand prêtre trouva le livre de la Loi. Le grand prêtre fit apporter le livre au roi.

A la lecture des paroles contenues dans le livre de la Loi, Josias prit cette découverte très au sérieux. *"Depuis des siècles nous avions perdu ce livre, Dieu doit être très en colère parce que nous avons ignoré et désobéi aux paroles de ce livre !"*

Alors, il envoya les prêtres consulter la prophétesse Hulda. Elle leur dit : *"Dieu enverra le malheur sur ce lieu et ses habitants car ils l'ont abandonné. C'est écrit dans le livre. Mais le roi Josias ne verra pas ces malheurs parce qu'il veut renouveler l'Alliance avec Dieu."*

Le roi Josias était un homme de bonne volonté. Il convoqua tous les hommes de Juda et les habitants de Jérusalem. Il leur lut tout le contenu du livre de l'Alliance trouvé dans le Temple. Tout le peuple était d'accord pour renouveler l'Alliance avec le vrai Dieu et observer ses commandements.

Josias ordonna la destruction de tous les objets des cultes destinés à adorer les faux dieux. Il fit brûler les tombeaux de ceux qui avaient entraîné Israël dans le péché. A l'exception de celui d'Elisée, car il avait annoncé ce qui arrivait. Toute trace d'idolâtrie fut pourchassée et le Temple fut purifié. On célébra de nouveau la Pâque selon les rites de l'Alliance de Dieu avec les hommes.

PAROLES DES PROPHÈTES

Amos 2, Osée 6 et 11, Michée 4-6, Isaïe 43 et 53

Amos était très peiné de voir que les hommes oubliaient sans cesse l'Alliance conclue avec Dieu.

Ainsi parlait Dieu à travers sa bouche.

"Pour les crimes commis par Israël,
je tournerai le dos à ce peuple.
Ils préfèrent la richesse et le pouvoir
plutôt que la justice.
Ils écrasent les faibles
contre la poussière du sol…"

Osée rappelle à son peuple que l'Alliance entre Dieu et les hommes n'est pas une loi ordinaire. C'est une rencontre dans l'amour.

"Venez, retournons vers le Seigneur…
Il nous a maudits car nous l'avons abandonné
mais il nous a pardonné.
Cherchons à le connaître,
il viendra pour nous comme la pluie
de printemps qui arrose la terre."
"Quand Israël était jeune, je l'aimais,
et d'Égypte j'appelais mon peuple.
Plus je l'appelais, plus il m'abandonnait.
Il vouait un culte aux faux dieux
et aux idoles étrangères.
Il n'a pas compris que je prenais soin de lui
comme d'un petit enfant.
Je le soutenais comme un père
prend dans ses bras son nourrisson."

Le Dieu de justice est aussi celui du pardon. Michée annonce la venue d'un Sauveur pour établir la paix dans le monde.

"Sur la montagne
où se trouve Dieu,
les peuples afflueront.
Dieu sera le juge
des nations puissantes.
Ils briseront leurs épées et leurs lances.
Ils en feront des outils pour moissonner.
Ils ne se battront plus nation contre nation.
Ils n'apprendront plus à faire la guerre
et chacun vivra en sécurité.
Tous les peuples marcheront vers Dieu
pour toujours !
Ce sera un temps de paix."

"Je rassemblerai les égarés,
les blessés seront au centre,
ceux qui étaient perdus
deviendront une nation puissante.
Alors le Seigneur régnera
pour toujours."

Michée médite sur l'attitude que l'homme doit choisir pour se présenter devant Dieu.

"Avec quoi dois-je me présenter ?
Avec des sacrifices de toutes sortes ?
On t'a fait savoir, homme
ce qui est bon aux yeux du Seigneur.
Agir avec justice, aimer la fidélité,
et marcher humblement
avec Dieu."

Isaïe savait communiquer la force et la grandeur de l'amour de Dieu. Il expliquait à ses contemporains l'immensité de la tendresse de Dieu.

"Voilà ce que dit ton créateur.
N'aie pas peur,
car j'ai donné ma vie pour toi.
Je connais ton nom, tu es à moi.
Si tu traverses des épreuves, je serai avec toi.
Tu ne seras pas submergé.
La mort ne sera pas plus forte
que mon amour pour toi.
Car je suis ton Dieu,
et que tu as du prix à mes yeux.
Je t'aime."

Isaïe annonçait un messie, un envoyé de Dieu qui serait comme un serviteur :
"Dieu m'a modelé pour être son serviteur,
pour rassembler Israël son peuple.
Pour dire aux prisonniers : sortez,
et pour appeler
ceux qui s'enferment dans les ténèbres
à venir au grand jour.
Car Dieu console celui qui pleure,
il ne l'oublie pas.
Dieu dit : Regarde, tu es gravé
dans le creux de ma main.
Et tu sauras que je suis ton Dieu."

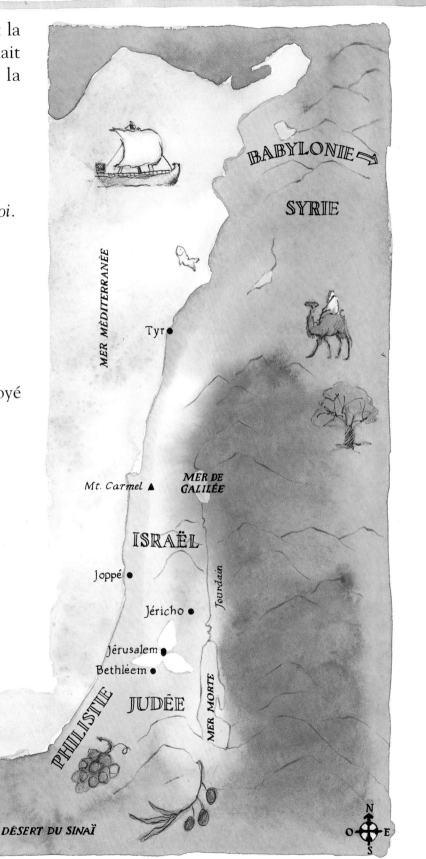

LA CHUTE
DE JÉRUSALEM

2 Rois 24-25, Jérémie 5-37

En 721 avant Jésus-Christ, le royaume d'Israël est envahi par l'Assyrie. Mais Jérusalem résiste à l'envahisseur par miracle. Le roi Josias rétablit alors la fidélité à l'Alliance avec le vrai Dieu. Hélas, après lui, le peuple juif retombe dans l'idolâtrie. En 587, Jérusalem est prise et incendiée, tous les habitants sont déportés à Babylone.

Pour les israélites, cette épreuve de cinquante ans d'exil sera à la fois dramatique et salutaire : ne pouvant mettre leur espoir de salut qu'en Dieu, ils approfondiront leur foi et découvriront petit à petit que la promesse divine ne porte pas essentiellement sur le pouvoir et la réussite terrestre : "Mon Royaume n'est pas de ce monde..." dira Jésus.

Jérémie était encore un jeune enfant quand Dieu s'adressa à lui : "*Mon peuple s'éloigne de moi et ne cesse de trahir l'Alliance. Veux-tu être mon messager pour lui annoncer que je suis le vrai Dieu ?*"

"*Mais, Seigneur, je ne suis qu'un tout jeune enfant !*" répondit Jérémie. Dieu sourit et lui dit avec une grande tristesse : "*Peu importe ton âge si tu m'accueilles dans ton cœur !*"

La première tâche que Dieu lui confia était difficile. Il devait annoncer au peuple que les péchés d'Israël entraîneraient la ruine de Jérusalem et de toute la nation. Ce que le prophète Jérémie fit.

Mais le roi ne voulut pas l'écouter.

Alors que Joiaqim régnait à Jérusalem, Nabuchodonosor, le roi de Babylone, et ses troupes conquirent le pays. Joiaqim dut obéir à Nabuchodonosor pendant trois ans. Puis il mourut.

Joiakîn, son fils, régna à sa place.

Comme son père, ce fut un mauvais roi. Il ne respectait pas les commandements du vrai Dieu.

Nabuchodonosor ordonna de nouveau à ses troupes d'assiéger Jérusalem. Cette

fois, il voulait le pouvoir. Joiakîn, roi de Juda, dut abandonner son trône et fut fait prisonnier.

Le roi de Babylone emporta tous les trésors du palais royal et du Temple de Dieu. Il brisa tous les objets d'or que le roi Salomon avait fabriqués en l'honneur de Dieu. Il emmena en exil vers Babylone Joiakîn et tous les habitants de Jérusalem. Seuls furent laissés les plus pauvres. Sur le trône de Joiakîn, Nabuchodonosor installa son oncle Sédécias.

Ce que le prophète Jérémie avait annoncé était en train de se réaliser.

Sédécias n'était pas meilleur que Joiakîn. Il fit tout ce qui déplaisait à Dieu. Alors Jérémie rédigea ses prophéties sur un parchemin. Il le lut à haute voix au roi Sédécias : *"Si le peuple continue de se détourner du vrai Dieu et de lui désobéir, s'il n'est pas attentif aux paroles des prophètes, Jérusalem sera détruite et inhabitée !"*

Le roi ne voulut pas l'écouter : *"Le prophète Jérémie blasphème ! Il mérite la mort !"*

"Ecoutez l'appel du vrai Dieu et il retirera le malheur qu'il a prononcé contre vous ! Il vous pardonnera !" insistait Jérémie. Personne ne l'écoutait. Sédécias déchira le parchemin et le fit brûler. Jérémie fut jeté en prison.

Bien qu'établi sur le trône de Jérusalem par Nabuchodonosor, Sédécias se révolta contre lui. Pour se venger, le roi de Babylone attaqua Jérusalem et creva les yeux de Sédécias. Nabuchodonosor incendia le palais royal, toutes les maisons de la ville

et le Temple de Dieu. Les colonnes de bronze du Temple et tous les objets de culte furent emportés à Babylone.

Toute la ville fut anéantie comme Jérémie l'avait annoncé.

EZÉCHIEL REDONNE ESPOIR AU PEUPLE DE DIEU

Ezéchiel 37

Après avoir pardonné à son peuple, Dieu ne pense qu'à préparer l'avenir. Au travers de l'histoire mouvementée des descendants d'Abraham, le plan de Dieu se dévoile de plus en plus : l'Alliance trahie par Israël sera transformée en une Alliance nouvelle et éternelle, une véritable résurrection où la vie triomphera définitivement de la mort. Pour le moment c'est le peuple juif qui va revivre en retrouvant la terre de ses ancêtres... avant de recevoir la vie en plénitude par Jésus le Messie de Dieu.

Pendant le règne du roi Sédécias, le prêtre Ezéchiel était en exil à Babylone avec les habitants de Jérusalem.

Le Seigneur révéla à Ezéchiel qu'il serait fidèle à son peuple. Même si les Fils d'Israël l'avaient abandonné depuis déjà longtemps, Ezéchiel savait que Dieu les aimaient encore et qu'il désirait ardemment oublier les fautes du passé et construire avec eux un avenir tout neuf.

Alors qu'il se trouvait au bord du fleuve Kebar, Ezéchiel eut une première vision : *"Un vent violent soufflait du nord, un énorme nuage couvrait le ciel et du feu en sortait. Au centre, je voyais quatre animaux qui avaient une apparence humaine. Sous leurs ailes, il y avait des mains humaines tournées vers les quatre directions. Du feu sortaient des éclairs. Les animaux allaient et venaient* comme la foudre. Il y avait aussi à côté des animaux quatre roues qui avançaient dans les quatre directions."

Par cette vision, Dieu voulait faire comprendre à Ezéchiel qu'il est tout puissant. Il domine la nature ! Il veut aussi lui dire qu'il n'habite pas seulement dans le Temple de Jérusalem mais d'abord dans le cœur des hommes. Et puis, surtout, il reste proche des Fils d'Israël jusque dans leur exil à Babylone.

Puis le Seigneur Dieu dit à Ezéchiel : *"Mon peuple est si têtu ! Je t'envoie leur dire ma Parole. Mange ce livre !"* Ezéchiel avala le livre contenant la Parole de Dieu. Il fut délicieux comme du miel.

Dieu guida Ezéchiel au milieu d'une grande vallée. Le sol de cette vallée était jonché d'ossements desséchés. Là, le prophète eut une autre vision. Dieu l'interrogea : *"Ezéchiel, penses-tu que ces ossements reviendront à la vie ?"*

"Toi seul le sais puisque tu es Dieu !" répondit le prophète.

Alors Dieu ordonna : *"Tu diras à ces ossements : Ecoutez la Parole de Dieu, vous recevrez son esprit et vous vivrez !"* Ezéchiel fit ce que Dieu lui demandait. La chair se mit à pousser sur les ossements.

Dieu ajouta :

"Tu leur diras aussi : Que l'esprit vienne en vous."

Les corps reprirent vie et se levèrent. Ils étaient très nombreux !

Dieu expliqua :

"Ces hommes ressuscités, c'est mon peuple. A cause de leur exil à Babylone, ils

n'ont plus d'espérance. Je les ramènerai sur leur sol, en Israël. Ils vivront et sauront que je suis le vrai Dieu."

Et le Seigneur ajouta :

"Je conclurai avec eux une Alliance éternelle. Je mettrai mon sanctuaire au milieu d'eux pour toujours. Ma demeure sera chez eux, je serai leur Dieu et ils seront mon peuple.

Oui, je vous donnerai un cœur nouveau, je mettrai en vous un esprit nouveau.

J'enlèverai votre cœur de pierre, et je vous donnerai un cœur de chair."

LE CHANT
DES EXILÉS

Psaume 137

En exil, Israël exprimait par ce psaume
toute sa tristesse :
"Nous étions assis au bord des fleuves
de Babylone
et nous pleurions notre pays bien-aimé.

Nous avions accroché nos harpes
sur les branches des saules
aux alentours.
Et là, nos ravisseurs nous disaient :
'Chantez-nous un cantique de Jérusalem.'
Comment pourrions-nous chanter
un cantique de Dieu
sur une terre étrangère ?...
Si je t'oublie, Jérusalem,
que je ne puisse plus jouer.
Si je perds ton souvenir
et si tu n'es plus toute ma joie,
que je perde aussi la parole."

LE FESTIN
DU ROI
BALTHAZAR

Daniel 5

Balthazar, le fils de Nabuchodonosor, donna un jour un grand festin. Il y avait mille invités.

Tous burent du vin dans les vases d'or et d'argent volés dans le Temple de Dieu à Jérusalem.

Tandis qu'ils buvaient, ils adoraient et priaient leurs idoles d'or et d'argent, de bronze et de fer, de bois et de pierre.

Soudain, une main d'homme apparut et se mit à écrire mystérieusement sur le mur du palais royal. Le roi eut peur. Il était très pâle et se mit à trembler.

Alors, il dit à ses invités : *"Celui qui saura lire cette écriture et comprendre ce message sera riche et gouvernera le royaume après moi."* Personne ne comprenait cette écriture si étrange !

Alors la reine fit venir Daniel, un des exilés de Jérusalem. *"Il sait interpréter les rêves et résoudre les énigmes"*, dit-elle à Balthazar.

Le roi dit à Daniel : *"On m'a amené les sages et les magiciens pour lire cette inscription, mais ils sont incapables de m'en révéler*

le sens. Si toi, tu es capable de lire ce texte et de m'en faire l'interprétation, tu seras revêtu d'un vêtement royal et tu porteras une chaîne d'or autour du cou et tu deviendras le troisième personnage du royaume."

"Je déchiffrerai cette écriture mais garde tes cadeaux !" répondit Daniel.

Il lui raconta comment, à cause de sa cruauté, le roi Nabuchodonosor fut rejeté de son trône et conduit au désert. *"Et toi et tes invités, dit-il à Balthazar, vous avez bu dans les vases saints ! Alors Dieu t'envoie un avertissement et voici ce qu'il te dit : Mené, Mené, Teqel et Parsîn. Cela veut dire que*

Dieu met fin à ton règne. Ton royaume sera partagé entre les Mèdes et les Perses."

Cette nuit-là, Balthazar fut assassiné et Darius le Mède devint roi.

Il plut à Darius de nommer aussitôt Daniel chef d'un des trois régiments de sa garde personnelle.

Or Daniel se faisait remarquer par son intelligence vraiment extraordinaire qui excitait aussi bien la jalousie que l'admiration.

LA FOSSE AUX LIONS

Daniel 6

Le roi Darius aimait beaucoup Daniel. Il avait confiance en lui et voulait le placer à la tête du royaume tout entier. Les serviteurs du roi étaient très jaloux de l'intelligence et de la confiance accordée à Daniel.

"Comment faire pour qu'il soit puni ? se demandaient-ils. Il ne fait rien de mal ; c'est un homme juste et fidèle à Dieu."

Alors, ils décidèrent de lui tendre un piège. Il rédigèrent une loi qui disait que celui qui adorerait un dieu ou un homme autre que le roi serait jeté à la fosse aux lions.

Daniel entendit parler de cette nouvelle loi mais il n'y prêta pas attention.

Comme d'habitude, trois fois par jour, il montait dans sa chambre, il s'agenouillait devant sa fenêtre et se tournait vers Jérusalem pour prier le vrai Dieu.

Les serviteurs jaloux guettaient autour de la maison de Daniel. Ils le virent honorer son Dieu.

Alors, ils se précipitèrent chez Darius et lui rappelèrent la nouvelle loi : *"Celui qui désobéit à la nouvelle loi en honorant quelqu'un d'autre que toi, ne doit-il pas être jeté dans la fosse aux lions ? N'as-tu pas signé cette loi ?"*

"C'est vrai, la loi dit cela", répondit le roi Darius.

Les serviteurs l'informèrent alors que Daniel désobéissait à la loi : *"Il prie le Dieu trois fois par jour, nous l'avons vu."*

"*Sois béni, ô roi ! Dieu m'a envoyé son ange. Il a fermé la gueule des lions et ils ne m'ont pas fait de mal parce que je suis innocent.*"

Le roi était très heureux de voir que

En entendant ces paroles, le roi Darius était très malheureux. Il aimait beaucoup Daniel et décida de tout faire pour le sauver.

Les serviteurs jaloux insistaient : "*Une nouvelle loi ne peut pas être changée !*"

Jusqu'à la tombée de la nuit, le roi chercha une solution. En vain.

Alors, Darius ordonna de faire venir Daniel et de le jeter dans la fosse aux lions.

En secret, il dit à Daniel : "*Le Dieu que tu honores te sauvera.*"

Les serviteurs firent rouler une énorme pierre à l'entrée de la fosse et le roi la marqua de son sceau. Puis Darius regagna le palais. Là, il resta seul et jeûna car il gardait l'espoir que le Dieu de Daniel le sauverait.

Au petit matin, il se leva et se rendit à la fosse aux lions.

Inquiet, il cria : "*Daniel, le vrai Dieu t'a-t-il sauvé des lions ?*"

Une petite voix se fit entendre et dit :

son ami était vivant. Il ordonna de le faire sortir de la fosse.

Il fit jeter les serviteurs jaloux dans la fosse aux lions. Ils furent dévorés.

Le peuple comprit que Daniel avait été sauvé parce qu'il était fidèle au vrai Dieu.

Alors le roi Darius fit rédiger une nouvelle loi :

"*Que tous les peuples adorent le vrai Dieu !*
Le Dieu de Daniel est le Dieu vivant.
Il est éternel.
Son royaume ne sera jamais détruit.
Il délivre les justes.
Il a sauvé Daniel de la fosse aux lions !"

Le Retour d'Exil et la Reconstruction du Temple

Esdras, Néhémie

Depuis longtemps déjà, le peuple de Dieu était en exil à Babylone. Il souffrait beaucoup de cette situation. Son cher pays lui manquait beaucoup et il ne pouvait plus adorer Dieu dans le Temple de Jérusalem.

Cyrus, le roi de Perse, décida de renvoyer le peuple de Juda vers sa terre d'origine et proclamait dans tout son royaume : *Le Dieu d'Israël demande que son Temple de Jérusalem soit reconstruit avec l'aide de son peuple.*

Une partie du peuple de Juda partit en avant pour rebâtir le Temple. Le roi Cyrus lui rendit tous les objets de culte que Nabuchodonosor avait volés autrefois. Quant à la population de Babylone, elle apporta son aide en argent, en or et en équipement.

Quand les premières pierres furent posées, les prêtres louaient le Seigneur Dieu au son des trompettes et des cymbales. *Le Seigneur est bon. Il ne nous a pas abandonnés. Il nous aime pour toujours !* chantaient-ils.

Mais les prêtres très âgés qui avaient vu le premier Temple pleuraient très fort.

Les ennemis de Juda apprirent que les exilés reconstruisaient le Temple de Dieu. Ils firent tout pour les décourager et pour qu'ils ne le bâtissent plus. A cause de cela, les travaux de reconstruction furent interrompus pendant plusieurs années.

Puis, les prophètes Aggée et Zacharie ordonnèrent la reprise des travaux.

Le roi Darius, successeur de Cyrus, désirait beaucoup la reconstruction du Temple. Il avait rédigé une loi qui disait : *L'or et l'argent autrefois volés dans le Temple par Nabuchodonosor devra servir uniquement à bâtir le Temple. Celui qui empêchera la reconstruction sera puni.*

La construction du Temple fut enfin achevée. Le peuple le dédia au Dieu d'Israël et célébra de nouveau la fête de la Pâque.

Après ces événements, un grand prêtre nommé Esdras arriva à Jérusalem. C'était un homme juste et Dieu veillait sur lui. Le roi lui confia la charge de garnir le Temple avec les ustensiles d'or et d'argent. Il lui demanda également de nommer des juges et des scribes pour instruire le peuple sur la Loi de Dieu.

NÉHÉMIE REBÂTIT LE REMPART DE JÉRUSALEM

Néhémie 1-6

Le Temple de Jérusalem était rebâti mais la cité était encore en ruines. Le rempart de la ville avait été détruit et les grandes portes incendiées.

Néhémie était le serviteur du roi Artaxerxès. Il était chargé de verser le vin à table royale.

Un jour, son visage exprimait tellement la tristesse que le roi lui posa cette question : *"Es-tu malade Néhémie ?"*

"Non, répondit-il. *Mon cœur est triste parce que la cité de mes ancêtres est en ruines. S'il te plaît, Artaxerxès, laisse-moi aller à Jérusalem que je reconstruise mon pays."*

Le roi l'autorisa à partir.

Arrivé à Jérusalem, il fit le tour de la ville pour constater l'état du rempart. *"Pas de doute !* se disait-il, *tout est à reconstruire !"* Il rassembla les hommes de bonne volonté pour l'aider dans cette tâche.

Le grand prêtre Elyashib rebâtit la porte des Brebis. Les fils de Ha-Senaa, la porte des Poissons. D'autres prirent en charge trois autres portes. Quant à la porte de la Fontaine, c'est Shallum qui la répara. Il refit aussi le mur de la citerne de Siloé.

Le peuple avait du cœur à l'ouvrage et, petit à petit, Jérusalem renaissait de ses ruines.

Les ennemis des Juifs se montraient très en colère. Ils se moquaient des habitants de Jérusalem : *"Ce misérable peuple veut faire revivre Jérusalem ! Cette ville n'est qu'un tas de ruines !"*

Alors, Néhémie supplia Dieu de protéger la ville. Le peuple avait peur : *"Nous*

allons être attaqués !" confiait-il à Néhémie.

Pour les rassurer, Néhémie posta des hommes armés derrière le rempart. *"Ne craignez rien*, leur disait-il. *Dieu est grand !"*

Les ennemis se retirèrent et chacun retourna à son travail. Le rempart fut achevé en cinquante-deux jours. Ce travail fut accompli grâce à Dieu.

C'était une merveille et la ville revivait !

ESTHER AU SECOURS DU PEUPLE DE DIEU

Esther

Le roi de Perse Assuérus organisa un magnifique banquet. Son épouse, la reine Vasthi, refusa de s'y rendre et, de son côté, elle offrit aux femmes un somptueux festin dans le palais royal. Elle était fâchée avec le roi Assuérus parce qu'il voulait la donner en spectacle à sa cour. La reine Vasthi était, en effet, très belle et le roi aimait étaler sa richesse et sa puissance.

Le refus de la reine mit le roi dans une colère terrible.

Il dit : "*Cette femme a osé me désobéir. Je la renvoie !*"

Parmi une foule de jeunes filles, Assuérus choisit une nouvelle reine. L'élue s'appelait Esther. Elle était juive, très jeune et sa beauté charma le roi. A la mort de ses parents, c'est Mardochée, un de ses cousins, qui l'éleva.

La jeune fille ne vit plus le roi pendant une année. La loi voulait qu'une nouvelle femme se préparât longuement pour être la plus belle possible.

Quand le temps fut venu, Esther fut conduite chez Assuérus, au palais royal. Elle plaisait beaucoup au roi qui posa sur sa tête la couronne royale. En l'honneur d'Esther, le roi donna un grand festin et un jour de repos à tout le peuple.

Un jour, Mardochée apprit que des hommes préparaient un complot contre le roi. Il en informa la reine Esther, qui, elle-même, en parla au roi Assuérus. Les hommes furent pendus.

Mais, plus tard, le roi prit sous sa protection un homme nommé Aman. Le roi lui accordait tout ce qu'il voulait.

Mais Mardochée refusait de s'agenouiller devant cet homme. Aman était très orgueilleux et la conduite de Mardochée lui déplaisait beaucoup. "*C'est assez pour tuer Mardochée*", disait-il.

Mardochée était juif. Enflammé de colère, Aman persuada le roi Assuérus de faire tuer tous les Juifs de son royaume. Il lui dit : "*Les Juifs sont des hommes à part. Leurs lois ne ressemblent pas aux nôtres.*"

Assuérus répondit à Aman : "*Tu es celui que je préfère, alors fais ce que tu veux de ce peuple !*"

Presque tous les juifs furent tués : veillards, hommes, femmes et enfants.

Mis au courant de ce qui venait d'arriver, Mardochée, qui avait échappé au massacre, poussa un cri de douleur et pleura beaucoup. Il envoya un message à Esther pour qu'elle suppliât le roi d'arrêter le génocide.

Mais la loi était la loi !

Assuérus avait de nombreuses femmes

et aucune, même Esther, ne pouvait aller le voir sans qu'elle ne fût convoquée.

Elle risquait la mort en cas de désobéissance.

Mardochée fit dire à Esther : "*Si tu n'agis pas rapidement, toi et ta famille, vous mourrez. Va chez le roi et parle-lui.*" Esther accepta : "*J'irai chez le roi malgré la loi et, si je dois mourir, je mourrai.*"

Pendant trois jours, elle pria et elle prépara un festin pour le roi, en l'honneur d'Aman. Enfin le troisième jour, elle mit ses habits de fête et se rendit chez le roi.

"*Que désires-tu, Esther ? Dis-le moi et je te l'accorderai.*"

"*Je voudrais obtenir l'autorisation d'être présente lors du banquet que j'ai préparé en l'honneur d'Aman*", lui demanda-t-elle.

"*C'est d'accord, tu le pourras.*"

La veille du banquet, Aman rencontra Mardochée et celui-ci ne le salua pas. Aman fut furieux ! "*Demain, je le ferai pendre !*" dit-il.

Cette nuit-là, le roi ne trouvait pas le sommeil. Il lut le livre des Chroniques où les juifs écrivaient leur histoire comme dans un journal. A sa grande surprise, il y découvrit que Mardochée lui avait sauvé la vie. En effet, deux serviteurs du roi avait préparé un attentat que Mardochée avait empêché au dernier moment.

"*Comment remercier un homme auquel on doit la vie ?*" demanda le roi à Aman.

"*Fais-le monter sur un cheval royal et dépose sur sa tête une couronne royale*", répondit Aman sans savoir qu'il s'agissait de Mardochée.

Et ainsi, Mardochée fut mis à l'honneur grâce à son pire ennemi !

Enfin le banquet eut lieu. Seul le roi savait qu'Esther était juive. Il dit à sa reine bien-aimée : "*Dis-moi ce que tu veux et je te l'accorderai.*" La reine supplia le roi : "*Sauve mon peuple et Mardochée. En ce moment, Aman a l'intention de le tuer.*" Furieux, le roi quitta le banquet et fit pendre Aman.

Le lendemain, le roi fit rédiger une nouvelle loi où il autorisait les juifs à vivre paisiblement dans tout son empire, de l'Inde à l'Ethiopie.

Ce fut pour les juifs un jour de joie et de triomphe.

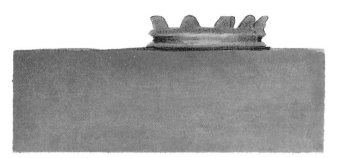

JONAS : PROPHÈTE MALGRÉ LUI

Jonas

L'histoire merveilleuse de Jonas résume bien toute l'histoire du peuple juif dans l'Ancien Testament. Il écoute Dieu, mais finalement il n'en fait qu'à sa tête. Et le Seigneur est contraint de déclencher des tempêtes et de faire des miracles pour le ramener dans le chemin de la fidélité à l'Alliance. Avant la venue du Messie, la pédagogie divine veut faire passer un dernier message à son peuple : le Sauveur promis à Israël appellera tous les peuples de la terre à devenir enfants de Dieu. En effet, Ninive est une ville étrangère et c'est ce qui contrarie le plus Jonas...

Dieu voulut envoyer le prophète Jonas annoncer à la population de Ninive qu'elle serait punie à cause de ses péchés. Or Jonas ne voulait pas obéir au Seigneur Dieu. Il refusa cette mission et prit le bateau pour aller à Tarsis, à l'opposé de Ninive. Il était bien décidé à fuir Dieu.

Tandis qu'il voyageait, le Seigneur Dieu lança sur la mer une grande tempête. Les matelots eurent très peur. Ils demandèrent de l'aide à leurs dieux et faisaient tout ce qu'ils pouvaient pour éviter que le bateau ne coulât. Pendant ce temps, Jonas dormait profondément. Le capitaine s'approcha de lui et lui dit : *"Tu dors alors que nous sommes en danger ! Prie donc ton Dieu, il nous écoutera peut-être !"*

Puis les matelots tirèrent au sort pour savoir de qui venait le mal. Le sort tomba sur Jonas. Alors, ils lui posèrent beaucoup de questions : *"Qui es-tu ? Quel est ton peuple ?"* *"Je suis hébreu et c'est le Dieu de mon peuple qui a fait la mer et la terre"*, leur répondit-il. Les matelots étaient effrayés car, en embarquant, Jonas leur avait dit qu'il fuyait Dieu. Ils lui demandèrent : *"Comment faire cesser cette tempête ?"* *"Jetez-moi à la mer car tout est de ma faute"*, dit Jonas.

Les matelots le jetèrent à la mer et la tempête s'apaisa.

Un énorme poisson avala Jonas. Alors le prophète se mit à prier Dieu :
"Quand j'ai eu des difficultés,
j'ai appelé le Seigneur et il m'a répondu.
Quand on m'a jeté à la mer,
j'ai demandé de l'aide
et le Seigneur m'a écouté.
Quand j'allais mourir,
le Seigneur a entendu ma prière."

Trois jours passèrent et Dieu ordonna au poisson d'ouvrir la bouche et de déposer Jonas sur le rivage.

Puis, Dieu lui demanda une seconde fois de se rendre à Ninive. Jonas se leva et alla dans la grande ville. Là, il s'adressa à toute la population : *"Dans quarante jours,*

Ninive sera détruite." Très inquiet, le roi invita le peuple à jeûner, à prier et à écouter Dieu de nouveau. *"Alors, Dieu pardonnera peut-être le mal que nous avons fait et il nous sauvera !"* Dieu vit les efforts des gens de Ninive. Comme ils étaient de bonne volonté, Dieu leur pardonna et la ville ne fut pas détruite.

En apprenant cela, Jonas fut très fâché. Il s'adressa au Seigneur Dieu : *"Quand j'étais encore dans mon pays, je savais que tu leur pardonnerais. Car tu es un Dieu d'amour, lent à la colère. C'est pour cela que je me suis enfui à Tarsis. Ma mission semblait inutile. Maintenant que je t'ai désobéi, Seigneur, prends ma vie. Mieux vaut mourir que vivre."*

Dieu demanda à Jonas la raison de sa

grande colère. Jonas ne répondit pas. Il quitta la ville et s'assit près d'une hutte. Pour le protéger du soleil, Dieu fit pousser au dessus de sa tête une branche de ricin (un arbre qui pousse en orient). Il se reposait à l'abri du soleil.

Le lendemain matin, un ver grignota la branche de ricin de telle sorte que celle-ci tomba. Comme les rayons du soleil étaient brûlants, Jonas eut très mal à la tête. De

nouveau, il s'adressa à Dieu : "*Mieux vaut mourir que vivre.*" Dieu lui répondit : "*La chute de cette branche de ricin est-elle une raison suffisante pour te fâcher ?*" "*Oui, j'ai bien rai-*

son d'être en colère ! Cette branche m'abritait

du soleil !" dit Jonas.

Mais Dieu rétorqua : "*Tu es furieux à cause de ce ricin alors que tu n'as rien fait pour qu'il pousse ! Tu t'es juste contenté de sa présence. Alors pourquoi n'aurais-je pas eu le droit de me fâcher au sujet de Ninive ? Dans cette grande ville, il y a plus de cent vingt mille hommes qui se détournaient de moi et se conduisaient mal. Je les aime autant que toi, Jonas !*"

Dieu est un

Le Nouveau Testament

Dans l'Ancien Testament, nous venons de découvrir la naissance et l'histoire du Peuple élu. Pourtant cette histoire ne nous comble pas tout à fait car elle débouche sur une attente : le Messie promis à Abraham et à ses descendants n'est pas encore venu restaurer la création dans sa beauté originelle. Nous allons le voir, le Sauveur annoncé par les prophètes et attendu par tout un peuple dépassera les espérances les plus folles puisque Dieu donne au monde son propre fils !

L'ANNONCIATION

Luc 1, 26-38

Le Sauveur du monde qui va naître sera le fils d'une descendante de David, c'est lui qui comblera l'attente d'Israël.

Il sera enfanté par une jeune femme et donc frère de tous les hommes de tous les temps.

Mais son Père est Dieu. Il est Dieu né de Dieu, venu vivre parmi nous pour nous réapprendre à aimer et nous libérer définitivement de l'esclavage du péché.

A Nazareth en Galilée, Dieu envoya l'ange Gabriel à une jeune fille du nom de Marie. Celle-ci était fiancée à Joseph, un homme selon le cœur de Dieu. L'ange entra chez elle et lui dit : *"Je te salue, Marie, le Seigneur est avec toi."* A ces paroles, Marie fut toute bouleversée. Elle se demandait ce que cela signifiait. Alors, l'ange lui dit : *"Ne crains rien, Marie, le Seigneur Dieu t'aime et il t'a choisie pour enfanter un fils, un enfant merveilleux ! Tu l'appelleras Jésus. Il sera le Messie, on le nommera Fils du Très-Haut, il sera le Sauveur tant attendu et régnera sur le peuple de Dieu pour toujours !"*

Surprise, Marie demanda à l'ange : *"Comment le pourrais-je, je ne suis pas mariée ?"* L'ange lui dit : *"Tu seras remplie de l'Esprit saint et la puissance du Seigneur te couvrira de son ombre. C'est pourquoi cet enfant sera saint, on le reconnaîtra comme le Fils de Dieu. Elisabeth, ta cousine, vient de concevoir un fils alors qu'elle n'est plus en âge d'enfanter. Tu vois, rien n'est impossible à Dieu !"* Marie dit alors : *"Je veux servir le Seigneur, que sa volonté se fasse en moi."* Alors l'ange la quitta.

"Je te salue, Marie,
*   pleine de grâces,*
*   le Seigneur est avec toi,*
*   tu es bénie entre toutes les femmes,*
*   et Jésus, ton enfant, est béni.*
Sainte Marie, Mère de Dieu,
*   prie pour nous,*
*   pauvres pécheurs,*
*   maintenant et à l'heure de notre mort.*
Amen."

Jean-Baptiste Annonce la Venue de Jésus

Matthieu 3, Marc 1, Luc 3, Jean 1, Isaïe 40

Après la visite de l'ange Gabriel, Marie se rendit en hâte vers les montagnes, dans une ville de Juda. Elle entra chez sa cousine Elisabeth. Elisabeth était, elle aussi, remplie de l'Esprit saint. *"Quelle joie de te voir ici, Marie ! Comme tu dois être heureuse de porter le Fils de Dieu !"* lui dit-elle en l'accueillant.

Marie ne pouvait contenir sa joie et dit :

"Mon âme exalte le Seigneur,
* car mon cœur est débordant de joie !*
Il m'a choisie, moi son humble servante.
Désormais, toutes les générations
* me diront bienheureuse.*
Dieu fait des merveilles,
* son nom est saint et son amour infini.*
Il comble les pauvres
* et renvoie les riches les mains vides.*
Il n'abandonne jamais son peuple !"

Trois mois plus tard, Elisabeth mit au monde un fils. Elle l'appela Jean-Baptiste. L'enfant grandissait et Dieu était avec lui. Il demeura dans le désert jusqu'au jour où Dieu lui demanda d'annoncer la venue d'un Sauveur.

Le jour venu, Jean-Baptiste proclama dans le désert de Judée :

"Changez vos cœurs car le Sauveur que vous attendez va bientôt venir !"

A ces mots, de nombreux habitants de Jérusalem, de la Judée et de la région du

Jourdain voulurent recevoir le baptême de Jean-Baptiste pour montrer leur volonté de changer de vie. Comme beaucoup de pharisiens et de sadducéens venaient se faire baptiser, Jean-Baptiste leur dit : *"Repentez-vous. Le messie annoncé par Isaïe vient. Préparez les chemins du Seigneur. Faites-lui de la place.*

"Il vient après moi, mais il est plus grand que moi. Je ne suis même pas digne de lier sa sandale. Je vous le dis : c'est lui qui viendra donner le vrai baptême. Moi je vous baptise dans l'eau. Lui, il vous baptisera dans l'Esprit saint et dans le feu qui purifie les cœurs."

LA NAISSANCE DE JÉSUS

Luc 2

Qui penserait que ce pauvre petit nourrisson est le Fils de Dieu. Et pourtant saint Jean nous révèle qui il est : "Il était au commencement près de Dieu. Par lui tout a été fait, et rien de ce que Dieu a fait ne s'est fait sans lui. Il est la vraie lumière qui éclaire tout homme en venant dans ce monde. A tous ceux qui croient en lui, il donne le pouvoir de devenir enfants de Dieu !"

L'empereur Auguste ordonna que chacun allât se faire inscrire dans sa ville d'origine. Alors, Joseph quitta Nazareth pour se rendre à Bethléem en Judée. Il venait se faire inscrire avec Marie, son épouse. Or, pendant qu'ils étaient là, arrivèrent les jours où elle devait enfanter. Comme il n'y avait pas de place à l'auberge pour les accueillir, elle mit au monde son fils dans une étable et le coucha dans une mangeoire en guise de berceau.

Dans les environs, des bergers passaient la nuit dans les champs pour garder leurs troupeaux. L'ange du Seigneur s'approcha d'eux et les enveloppa de sa lumière, les bergers eurent peur, mais l'ange leur dit : *"N'ayez pas peur ! Je viens vous annoncer une merveilleuse nouvelle ! Une grande joie pour tout le peuple ! Un Sauveur est né à Bethléem. Gloire à Dieu et paix sur la terre !"* Les bergers se levèrent et se rendirent à Bethléem.

Ils trouvèrent Marie, Joseph et le nouveau-né couché dans une crèche. Après avoir vu l'enfant Jésus, ils racontèrent partout ce qui leur avait été annoncé au sujet de cet enfant. Et tout le monde s'étonnait. Puis, les bergers regagnèrent leurs champs en louant Dieu pour tout ce qu'ils avaient vu.

Quant à Marie, elle méditait tous ces événements dans son cœur.

LA VISITE
DES MAGES

Matthieu 2

Au-delà du peuple juif, Jésus commence à attirer autour de lui tous les peuples de la terre, représentés ici par les mages.

Jésus était né au temps du roi Hérode le Grand. Or, voici que des mages venus d'Orient arrivèrent à Jérusalem et demandèrent : *"Une étoile nous a guidés jusqu'ici. Où est le roi des Juifs qui vient de naître ? Nous sommes venus le saluer."* Quand il apprit cela, Hérode fut inquiet. Il demanda aux prêtres et aux savants : *"Savez-vous où ce Sauveur est né ?"* Ils lui répondirent : *"A Bethléem, en Judée."* Hérode envoya les mages à Bethléem et leur dit en secret : *"Renseignez-vous sur cet enfant et venez me prévenir pour que j'aille, moi aussi, le saluer."*

Les mages partirent. L'étoile qu'ils avaient suivie se leva et les précéda jusqu'à ce qu'elle s'arrêtât au-dessus de la crèche. Là, ils découvrirent Joseph, Marie et le nouveau-né. Remplis de joie, ils se mirent à genoux devant l'enfant Jésus. Ils lui offrirent de l'or, de l'encens et de la myrrhe. Puis, avertis en songe de ne pas retourner chez Hérode, ils repartirent dans leur pays par un autre chemin.

LA FUITE EN ÉGYPTE

Matthieu 2, Luc 2, Jérémie 31

Après le départ des mages, l'ange du Seigneur apparut à Joseph et lui dit : *"Jésus est en danger, Hérode veut le faire mourir. Lève-toi, fuis en Egypte avec Marie et l'enfant Jésus. Reste là-bas jusqu'à ce que je te le dise."* Pendant la nuit, Joseph prit

l'enfant et sa mère et ils partirent vers l'Égypte.

Hérode comprit que les mages s'étaient enfuis.

Très en colère, il ordonna la mise à mort, à Bethléem, de tous les enfants de moins de deux ans. En agissant ainsi, il croyait avoir la certitude de faire mourir l'enfant Jésus.

Quand le roi Hérode mourut, l'ange du Seigneur apparut, de nouveau, à Joseph et lui dit : *"Ceux qui voulaient faire périr l'enfant Jésus sont morts. Maintenant, vous pouvez repartir sur la terre d'Israël."*

Joseph se leva, prit avec lui Marie et Jésus et ils partirent vers la terre d'Israël.

Quand il apprit qu'Archélaüs était devenu roi à la place de son père Hérode,

Joseph ne voulut pas se rendre en Judée.

Alors l'ange du Seigneur le guida jusqu'à Nazareth, une ville de la région de Galilée. Ils s'y établirent tous les trois.

Une fois installés à Nazareth, Joseph et Marie emmenèrent Jésus au Temple de Jérusalem pour, selon la Loi de Moïse, le présenter à Dieu.

Un homme juste du nom de Syméon avait été averti par l'Esprit saint qu'il ne mourrait pas avant d'avoir vu le Sauveur Alors que Joseph et Marie étaient au

Temple avec Jésus, Syméon s'y rendit. Il prit Jésus dans ses bras et fit cette prière :
"Maintenant, ô maître souverain
tu peux selon ta parole
me laisser mourir en paix ;
car mes yeux ont vu le Sauveur
lumière pour tous les peuples,
et gloire d'Israël."

Ensuite, Syméon bénit Marie et Joseph, en disant à Marie : *"Vois ton enfant ! Il provoquera la chute et le salut d'un grand nombre d'Israélites ; il sera affronté à la contradiction ; et, toi-même, une épée te transpercera le cœur."*

Quand ils eurent accompli tout ce que la Loi préconisait, ils retournèrent à Nazareth. Là, l'enfant Jésus grandissait en âge et en sagesse. Et la grâce de Dieu l'habitait.

JÉSUS ET LES DOCTEURS DE LA LOI

Luc 2

La leçon semble un peu dure pour Joseph et Marie. Elle s'adresse aussi à tous les parents du monde : ils n'ont pas reçu leurs enfants pour eux mais pour qu'ils accomplissent sur terre la mission que Dieu leur confie. Cette vocation est un mystère entre Dieu et l'enfant. Mais, dès que l'appel se précise, l'enfant doit pouvoir répondre librement.

Chaque année, Joseph et Marie allaient à Jérusalem pour la fête de la Pâque. Lorsqu'il eut douze ans, Jésus accompagna ses parents. C'était la coutume.

Une fois la fête célébrée, Joseph et Marie reprirent la route vers Nazareth. Jésus resta à Jérusalem sans le faire savoir à ses parents. Joseph et Marie pensaient que leur fils faisait route avec de la famille ou des amis.

Mais, après un jour de route, comme ils ne le trouvaient pas parmi leurs parents et leurs connaissances, ils furent très inquiets. *"Jésus est encore très jeune, il s'est peut-être perdu"*, pensaient-ils.

Ils marchèrent une journée et revinrent à Jérusalem pour le chercher.

Au bout de trois jours, ils le trouvèrent dans le Temple, assis au milieu des docteurs de la Loi. Jésus les écoutait et leur posait beaucoup de questions. Ceux qui l'écoutaient pensaient : *"Ce garçon est très intelligent. Ses réponses sont claires et justes !"*

LE BAPTÊME
DE JÉSUS
PAR JEAN-BAPTISTE

Matthieu 3-4, Marc 1 et 6, Luc 3

En l'an quinze du principat de Tibère, alors que Ponce Pilate était gouverneur de Judée, Jésus quitta la région de Galilée pour se rendre à la rivière du Jourdain.

Il voulait recevoir le baptême des

En voyant leur fils, Joseph et Marie lui demandèrent : *"Pourquoi nous as-tu fait cela ? Depuis plusieurs jours, nous sommes si inquiets ?"*

Jésus leur répondit : *"Pourquoi me cherchez-vous ? Ne saviez-vous pas que c'est dans la maison de mon Père, le Seigneur Dieu, que je dois être ?"* Mais ils ne comprirent pas ce qu'il voulait leur dire.

Jésus regagna Nazareth avec ses parents. Il leur était soumis. Il grandissait en sagesse et en taille et en grâce devant Dieu et aux yeux de son entourage.

Quant à Marie, elle gardait et méditait toutes ces choses dans son cœur.

mains de son cousin Jean-Baptiste. Son cousin ne voulait pas, il lui dit : *"Tu veux que je te baptise mais je n'en suis pas digne ! C'est plutôt à toi de me donner le baptême !"*

Mais Jésus lui répondit : *"Pour le moment, fais ce que je te dis et tu comprendras."*

Alors Jean-Baptiste plongea Jésus dans l'eau du Jourdain et lui donna le baptême.

Quand Jésus sortit de l'eau, le ciel s'ouvrit et l'Esprit de Dieu descendit sur lui comme une colombe. Alors Dieu, son père, fit entendre sa voix et dit : *"Jésus est* mon *Fils bien-aimé ; en lui j'ai mis tout mon amour !*"

Un peu plus tard, Hérode, fils du cruel roi Hérode le Grand, fit jeter Jean-Baptiste en prison parce qu'il lui avait dit : "*Tu n'as pas le droit d'épouser Hérodiade, la femme de ton frère Philippe.*" Hérodiade était furieuse contre Jean-Baptiste et voulait le tuer.

Mais le prince Hérode ne le voulait pas.

Il avait peur de Jean-Baptiste car il savait que c'était un prophète respecté par tous, un homme juste et saint.

Un jour, le prince Hérode donna une grande fête à l'occasion de son anniversaire.

La fille d'Hérodiade dansa en public et plut au prince. Pour la récompenser, il lui dit : "*Demande-moi ce que tu veux et je te le donnerai. Même si tu me demandais la moitié de mon royaume, je te le donnerais.*"

Elle sortit et complota avec sa mère. De retour, elle lui répondit : "*Apporte-moi la tête de Jean-Baptiste sur un plateau.*"

Le roi était très embarrassé mais, à cause de sa promesse, il fit décapiter Jean-Baptiste et apporter sa tête sur un plat pour le donner à la jeune fille.

Les amis du prophète allèrent chercher son corps et informèrent Jésus de cette triste nouvelle.

Après ces événements, Hérode entendit beaucoup parler de Jésus, considéré par tous comme le Messie.

Le prince songeait : "*C'est Jean-Baptiste qui est ressuscité !*" D'autres disaient de Jésus : "*C'est Elie*" ou bien "*C'est un prophète comme les autres.*"

LA TENTATION
AU DÉSERT

Matthieu 4, Luc 4

L'Esprit guida Jésus jusqu'au désert. Là, le diable le tenta et le mit à l'épreuve. Jésus n'avait pas mangé depuis quarante jours et quarante nuits et il avait faim.

Le diable s'approcha de lui et lui dit : *"Si tu es vraiment le Fils de Dieu, transforme cette pierre en pain."*

Mais Jésus répondit : *"Ce n'est pas seulement de pain que vivra l'homme mais aussi de la Parole de Dieu."*

Puis le Diable emmena Jésus à Jérusalem, au sommet du Temple.

Il lui dit : *"Si tu es vraiment le Fils de Dieu, jette-toi en bas. Dieu enverra ses anges pour te porter."*

Jésus lui répondit : *"Tu ne mettras pas à l'épreuve le Seigneur, ton Dieu."*

Alors le diable fit venir Jésus sur une très haute montagne et le tenta de nouveau : *"Regarde tous ces royaumes, je te les donnerai si tu t'agenouilles devant moi pour m'adorer."*

Cette fois Jésus dit au diable : *"Va-t'en ! Il est écrit : Tu adoreras le Seigneur, ton Dieu et lui seul."*

Ne sachant plus quoi inventer pour mettre Jésus à l'épreuve, le diable s'éloigna de lui jusqu'au moment favorable.

Jésus retourna alors à Nazareth, où il avait été élevé. Un jour de Sabbat, il alla à la synagogue et se proposa pour faire la

lecture. On lui donna le livre du prophète Isaïe où il lut le passage suivant : *"L'Esprit du Seigneur est sur moi. Il m'a consacré pour annoncer la Bonne Nouvelle aux pauvres, pour libérer les prisonniers et rendre la vue aux aveugles."*

Après avoir replié le livre, il dit à l'assistance : *"Aujourd'hui s'accomplissent devant vous les paroles du prophète."*

JÉSUS APPELLE SES PREMIERS DISCIPLES

Marc 1, Luc 5

En Galilée, Jésus proclamait partout la Bonne Nouvelle de Dieu.

Alors qu'il passait au bord du lac de Génésareth, il vit deux petites barques et des pêcheurs lavant leurs filets.

Jésus s'avança et monta dans la barque d'un homme nommé Simon. Il lui dit : *"Eloigne-toi un peu du bord du lac."* Simon dirigea sa barque vers le milieu du lac.

De là, Jésus s'adressa à la foule pour annoncer la Bonne Nouvelle. La foule se pressait pour écouter son enseignement.

Quant il eut terminé, il dit à Simon : *"Avance plus loin. Toi et les autres pêcheurs, jetez vos filets dans l'eau pour la pêche."*

Simon répondit : *"Maître, la pêche a été mauvaise cette nuit. Nous n'avons pas pris*

un seul poisson ! Mais, si tu le dis, alors nous allons lâcher nos filets.”

A leur grande surprise, les filets se remplirent de poissons. Il y en avait tant que les filets se brisaient ! Ils demandèrent de l'aide aux pêcheurs d'une autre barque. Ils remplirent les deux barques avec le poisson. Elles étaient pleines à craquer ! Jamais, ils n'avaient fait une si bonne pêche !

Quand il vit cela, Simon dit à Jésus : *“Ne m'approche pas, car j'ai fait le mal aux yeux de Dieu.”* Simon, André, Jacques et Jean, ses compagnons, étaient envahis par la peur et la stupéfaction.

Alors Jésus dit à Simon : *“Ne crains rien ! A partir d'aujourd'hui, ce ne sont plus des poissons que tu prendras, mais des hommes.”*

Le soir même Jésus demeura dans la maison de Simon-Pierre et d'André, avec Jacques et Jean. Or la belle-mère de Simon était au lit avec une forte fièvre. S'approchant d'elle, Jésus l'aida à se lever en la prenant par la main. Aussitôt, la fièvre la quitta et elle put les servir.

116

LES NOCES DE CANA

Jean 2

Jésus et Marie étaient invités à un mariage à Cana en Galilée. Or, le repas des noces n'était pas terminé et il n'y avait déjà plus de vin.

Marie dit à Jésus : *“Les invités n'ont plus de vin à boire !”*

Jésus lui répondit : *“Que me demandes-tu ? Le moment où je dois me faire connaître*

n'est pas encore arrivé !”

Sans attendre, Marie ordonna aux serviteurs : *“Faites tout ce que mon fils vous dira.”*

Jésus leur dit : *"Remplissez donc d'eau ces six récipients en pierre puis portez le contenu à table."* L'eau était devenue du très bon vin.

Le maître du repas ne savait pas d'où ce

vin venait. Tandis qu'il le goûtait, il s'adressa au marié : *"Ce vin est exquis ! Pourquoi l'as-tu gardé pour la fin du repas ? L'usage veut que la fête commence avec le bon vin et se termine avec le moins bon."*

Ce miracle fut la première manifestation divine de Jésus.

Ses disciples, aussi invités au mariage, furent convaincus qu'il était vraiment le Fils de Dieu.

Après cette fête, Jésus redescendit à Capharnaüm, au bord du lac de Tibériade avec sa mère, ses cousins et ses disciples. Et ils demeurèrent là quelques jours.

LE SECRET DU BONHEUR

Matthieu 5-7

Un jour, quand Jésus vit la foule qui se pressait pour écouter la Bonne Nouvelle, il grimpa en haut d'une montagne et ses disciples s'assirent autour de lui. Alors il se mit à les instruire :
"Heureux les pauvres de cœur : le Royaume des cieux est à eux !

Heureux les doux : ils obtiendront la terre promise !

Heureux ceux qui pleurent : ils seront consolés !

Heureux ceux qui ont faim et soif de la justice : ils seront rassasiés !

Heureux les miséricordieux : ils obtiendront miséricorde !

Heureux les cœurs purs : ils verront Dieu !

Heureux les artisans de paix : ils seront appelés fils de Dieu !

Heureux ceux qui sont persécutés pour la justice :

le Royaume des cieux est à eux !

Heureux serez-vous si l'on vous insulte, si l'on vous persécute et si l'on dit faussement toute sorte de mal contre vous, à cause de moi. Réjouissez-vous, soyez dans l'allégresse, car votre récompense sera grande dans les cieux ! C'est ainsi qu'on a persécuté les prophètes qui vous ont précédés.

Jésus continuait à les instruire : "L'ancienne Loi dictée par les scribes dit 'Œil pour œil, dent pour dent, ce qui signifie qu'il faut rendre le mal par le mal.' Eh bien, moi je vous dis de pardonner et même de partager avec celui qui vous avait fait du mal."

"La règle d'or de la justice de mon Père des Cieux, poursuivit Jésus, c'est d'aimer votre prochain comme vous-mêmes !"

"Et puis, quand vous donnez de l'argent à un pauvre, ne le faites pas simplement pour avoir bonne conscience ! Ne vous vantez pas de cette bonne action. Mon Père des Cieux lit dans les cœurs et vous le rendra."

"Quand vous priez, faites-le dans le secret de votre cœur. Il est inutile de le faire savoir à tout le monde. Mon Père sait ce dont vous avez besoin, alors dites-lui simplement :

Notre Père qui es aux cieux,
   que ton nom soit sanctifié.
Que ton règne vienne.
Que ta volonté soit faite,
   sur la terre comme au ciel.
Donne-nous aujourd'hui
   notre pain de ce jour,
Pardonne-nous nos offenses
   comme nous pardonnons aussi
   à ceux qui nous ont offensés.
Et ne nous soumets pas à la tentation,
   mais délivre-nous du mal."

Jésus captivait les foules. Il leur enseignait qu'il valait mieux faire de Dieu son trésor plutôt que de se soucier d'accumuler beaucoup d'argent. *"Ne vous inquiétez*

pas de ce que vous allez manger et boire demain, expliquait-il. Regardez ces blés dans les champs et ces oiseaux dans le ciel ! Dieu les nourrit ! Alors pourquoi pas vous qui valez beaucoup plus ? Appliquez-vous plutôt à aimer Dieu."

"Mais attention ! il ne suffit pas de me dire : 'Seigneur, Seigneur !' pour entrer dans le Royaume des Cieux ; mais il faut faire la volonté de mon Père qui est aux Cieux."

Et, si l'amour de Dieu est tout-puissant, il nous faut prier avec confiance : *"Demandez et vous obtiendrez ; cherchez et vous trouverez. Celui qui demande reçoit ; celui qui cherche trouve."*

"Lequel d'entre vous donnerait une pierre à son enfant qui lui demande du pain ? Si donc, vous qui êtes mauvais, vous donnez de

bonnes choses à vos enfants, à combien plus forte raison votre Père du Ciel donnera-t-il de bonnes choses à ceux qui les lui demandent !"

LES PARABOLES DE JÉSUS

Matthieu, Marc et Luc

Pour expliquer ce qu'est le Royaume de Dieu, Jésus invente des histoires qui nous aident à mieux comprendre ce qu'il veut nous dire.

Bâtir sa maison sur le roc

"Deux hommes décidèrent de construire chacun leur maison. Le premier était un homme prévoyant. Alors, il décida de poser les fondations de sa maison sur un rocher. Un jour, la tempête souffla très fort et il plut

met en pratique est comparable à celui qui a construit sa maison sur le roc."

Le semeur

"Un semeur sortit pour aller dans son champ. Tandis qu'il jetait ses grains çà et là, certains tombaient sur le chemin. Ceux-là, les oiseaux venaient les manger. D'autres tom-

beaucoup. La maison ne s'écroula pas car elle était bâtie sur le roc.

"Le second était très insouciant et les fondements de sa maison reposaient sur du sable. Quand vinrent un vent violent et une forte pluie, cette maison ne fut plus qu'une ruine."

Et Jésus ajoute :

"Tout homme qui écoute mes paroles et les

baient entre les pierres. Alors, le plant poussait, mais, comme à cet endroit la terre était peu profonde, il ne prenait pas racine et se desséchait très vite. Quant aux grains tombés dans les ronces, ils étouffaient par manque de lumière. Par contre, les grains enfouis dans la bonne terre produisaient des épis à foison."

Comme les disciples ne comprenaient pas

le sens de cette histoire, Jésus leur expliqua : "Les grains semés, c'est la Parole de Dieu. Les hommes qui sont sur le chemin ont entendu cette Parole. Mais, occupés à leurs affaires, ils l'ont vite oubliée. Ceux qui sont entre les pierres

oublient la Parole quand viennent les difficultés. Ceux qui sont dans les ronces étouffent sous leurs plaisirs. Ceux qui sont dans la bonne terre, ce sont les hommes généreux. Ils ont retenu la Parole de Dieu et portent beaucoup de fruits."

La graine de moutarde

"Le Royaume de Dieu est comme une minuscule graine de moutarde plantée dans un champ. Quand elle a poussé, elle devient un arbre tellement grand que les oiseaux viennent y faire leurs nids."

Le sel de la terre

"Les hommes qui ont entendu la Parole de Dieu sont comme le sel de la terre. S'ils oublient cette Parole alors le sel perd tout son goût et peut être jeté : Il ne sert plus à rien !

"De la même façon, les hommes qui connaissent la Bonne Nouvelle sont comme la lumière du monde. Quand on allume une lampe, c'est pour qu'elle brille et éclaire tous ceux qui sont dans la maison. Ainsi la lu-

mière de ceux qui aiment Dieu doit illuminer le monde pour qu'il connaisse la Parole et rende gloire au Père des Cieux."

Jésus avait l'habitude de parler et de manger avec les pécheurs. Cette attitude scandalisait les pharisiens et les scribes. "Ce ne sont pas les gens bien portants qui ont besoin du médecin mais les malades", leur répondait Jésus. Et il leur expliquait avec des paraboles.

"Une pauvre femme avait dix pièces d'argent mais elle en perdit une. Elle alluma une lampe et balaya sa maison pour la chercher. Quand elle retrouva la pièce, elle appela toutes ses amies et leur dit : 'Quel bonheur, j'ai retrouvé la pièce d'argent que j'avais perdue !'"

Jésus continuait : "Si quelqu'un a cent brebis et en perd une seule, ne laissera-t-il pas les quatre-vingt-dix-neuf autres pour aller chercher celle qui est perdue ? Quand il l'aura retrouvée, il invitera ses amis et leur dira : 'Quel bonheur, j'ai retrouvé la brebis que j'avais perdue !'"

Et Jésus expliquait : "Pour un seul

pécheur qui demande pardon de ses fautes, Dieu se réjouit et pense : 'L'homme qui s'est égaré est revenu vers moi !'"

Dieu pardonne toujours à ceux qui acceptent d'être aimés par lui. Mais prenons garde à nous-mêmes car un jour le tri sera fait et seul le bon grain sera engrangé dans les greniers du Seigneur !

"Le Royaume des Cieux, dit Jésus, est comparable à un homme qui a semé du bon grain dans son champ. Or, pendant que les fermiers dormaient, son ennemi sema des mauvaises herbes. Quand le blé poussa, les mauvaises herbes apparurent aussi. Alors les

ouvriers agricoles dirent au maître : 'Veux-tu que nous allions arracher les mauvaises herbes ?' 'Non, attendez la moisson, répondit-il, alors vous jetterez les mauvaises herbes dans le feu ; quant au blé, vous le rentrerez dans mon grenier.'"

L'enfant prodigue

Jésus poursuivait : "Un homme avait deux fils. Le plus jeune dit à son père : 'Papa, donne-moi ma part d'héritage.' Quelques jours plus tard, il fit ses bagages et partit vers un pays lointain. Là-bas, il dépensa toute sa part d'héritage. Comme il avait faim et qu'il n'avait plus d'argent, il travailla dans les champs pour garder les cochons.

'J'ai si faim que je mangerais bien la nourriture des cochons', songeait-il. Mais personne ne lui en donnait. Affamé, il se disait tristement : 'Les serviteurs de mon père mangent à leur faim et moi je n'ai plus rien ! Je veux retourner vivre avec mon Père et lui deman-

der pardon de mes fautes.'

"Quand il l'aperçut sur le chemin du retour, le père courut vers son fils. Il se jeta à son cou et l'embrassa. Puis, il dit à ses serviteurs : 'Faisons une grande fête, mon fils était perdu et il est de retour !'

Quand le fils aîné revint des champs, il fut très jaloux de son frère. 'Papa, je ne t'ai jamais désobéi et pourtant tu ne m'as jamais organisé de fête !'

'Ecoute mon fils : Ton frère était perdu et il est de retour ! Cela vaut bien la peine de se réjouir.'"

LA MULTIPLICATION
DES PAINS

Matthieu 14, Marc 6, Luc 9, Jean 6

Après la manne au désert, Dieu nourrit encore son peuple. Mais, cette fois, le moment est proche où Dieu nous donnera son propre corps à manger, ce corps que nous pouvons recevoir à la messe et qui nous donne la force de vivre en disciple de Jésus dans le monde d'aujourd'hui.

Peu de temps avant la fête de la Pâque juive, Jésus alla sur la montagne et s'assit avec ses disciples.

Alors qu'une foule nombreuse se pressait autour de lui, il dit : *"La nuit tombe, ces gens doivent avoir faim !"* Puis, il demanda : *"Où pourrions-nous acheter à manger ?"*

"Mais, Jésus ! lui répondit Philippe, un de ses disciples, *il est tard et il n'y a rien dans la montagne !" "Et puis, de toute façon,* continua-t-il, *nous n'aurions pas assez d'argent !"*

Puis, André dit à Jésus : *"Un jeune garçon a ici cinq pains d'orge et deux poissons, mais ce n'est rien pour nourrir tant de monde !"*

La foule comptait environ cinq mille hommes.

Jésus les fit asseoir sur l'herbe. Il prit les pains et rendit grâce à Dieu. A présent, le pain et le poisson abondaient. Tout le monde mangea avec beaucoup d'appétit.

Quand ils eurent fini, les disciples remplirent douze paniers avec les morceaux de pains qui restaient.

Après ce repas, tous disaient : *"Cet homme est vraiment le Sauveur que nous attendons !"*

Comme la foule voulait le proclamer roi, Jésus se retira dans la montagne pour prier son Père des Cieux.

JÉSUS MARCHE SUR LES EAUX

Matthieu 14, Marc 6, Jean 6

Quand le soir fut venu, les disciples de Jésus partirent pour la ville de Carphanaüm. Jésus n'était pas avec eux. Alors, ils descendirent vers la mer et montèrent dans une barque.

Le vent soufflait fort et ils devaient beaucoup ramer pour avancer. *"Le vent est contraire à notre direction, la nuit tombe, nous sommes maintenant trop loin du bord. Comment faire ?"* se disaient-ils, très effrayés. Alors, Jésus vint vers eux en marchant sur la mer.

Le voyant venir vers eux, marchant sur la mer, les disciples eurent peur et se mirent à crier : *"C'est un fantôme !"*

Aussitôt, Jésus les rassura : *"N'ayez pas peur, c'est moi."*

Pierre doutait, il lui demanda un signe : *"Si tu es bien Jésus, fais que je marche aussi sur les eaux."*

Alors Jésus l'appela : *"Viens, Pierre !"* Pierre sortit de la barque et se mit à marcher sur les eaux.

Mais le vent était si fort que Pierre eut peur et commença à couler.

Il cria : *"Jésus sauve-moi !"*

Jésus lui tendit la main, l'empêcha de couler et lui dit : *"Pierre, pourquoi as-tu douté ? Ta foi est bien petite !"*

Pui, Pierre et Jésus montèrent dans la barque. Il n'y avait plus du tout de vent.

Les disciples s'agenouillèrent au pied de Jésus et dirent : *"Vraiment, tu es le Fils de Dieu !"*

JÉSUS GUÉRIT

Matthieu 8 et 9, Marc 2, 5 et 10, Luc 5, 8 et 10

Les miracles de Jésus sont d'abord des signes qui prouvent que sa mission vient de Dieu.
Mais ils nous aident aussi à comprendre ce que nous pouvons attendre de lui, aujourd'hui comme hier : qu'il guérisse nos cœurs du cancer du péché ; qu'il ouvre nos yeux à sa lumière ; qu'il nous délivre du mal et de la mort, pour toujours.

Tandis que Jésus prenait la route pour rentrer chez lui, une petite voix se fit entendre : *"Qui va là ? N'est-ce pas le Fils de Dieu ?"* Jésus se retourna et aperçut un homme aveugle qui mendiait sur le bord de la route. *"Aie pitié de moi ! J'aimerais tellement retrouver la vue !"*

"Crois-tu que je puisse t'aider ?" lui demanda Jésus.

"Oui Seigneur, car tu es le Fils de Dieu."

Alors Jésus posa ses mains sur les yeux de l'aveugle et dit : *"Tu as cru en moi, ta foi t'a sauvé !"* Quand l'aveugle ouvrit les yeux, il fut rempli de joie car il voyait tout très nettement.

On parlait beaucoup de Jésus et chaque jour, une foule nombreuse se pressait de tous côtés pour le suivre. Parmi elle, il y avait une femme, qui, depuis douze années, souffrait d'une grave maladie et perdait beaucoup de sang. Elle avait consulté de nombreux médecins sans aucun résultat. Elle aimait beaucoup Jésus et croyait en sa Bonne Nouvelle.

Elle s'avança vers lui pour toucher son manteau. Jésus cherchait autour de lui qui avait bien pu l'agripper de la sorte. Quand il vit cette femme tremblante à ses pieds, il lui dit : *"Parce que tu as cru en moi, tu es guérie ! Que ton cœur soit en paix !"*

Une autre fois, Jésus enseignait la Parole de Dieu à Carphanaüm. Parmi la foule, il y avait un homme paralysé étendu sur un lit. Quatre hommes le soulevèrent et le firent descendre par la terrasse, juste

au-dessus de l'endroit où se trouvait Jésus. Jésus lui dit alors : *"Ta foi est grande, tes péchés sont pardonnés."* Les scribes de l'assistance pensaient : *"Qui est-il pour oser pardonner les péchés ? Seul Dieu a ce pouvoir !"*

Jésus, qui lisait dans leur cœur, leur répondit : *"Est-il plus facile de pardonner ou de guérir ?"* Puis, s'adressant au paralytique, il lui dit : *"Pour que tous sachent que j'ai le pouvoir de pardonner les péchés, lève-toi et marche !"* Sur ces paroles, le paralysé se leva et rentra chez lui.

A Carphanaüm, un centurion de l'armée romaine vint trouver Jésus et lui dit : *"Je suis fort triste car un de mes serviteurs va mourir et je l'aime beaucoup."* Il le suppliait : *"Cet esclave est un homme juste."* On disait du centurion : *"Il aime le peuple juif et c'est lui qui a bâti la synagogue."* Puis, il ajouta : *"Seigneur, ne dis qu'un seul mot et il sera guéri. Je ne mérite pas que tu entres chez moi."* Voyant la confiance du centu-rion, Jésus dit : *"Cet homme a une très grande foi !"* De retour à la maison, le cen-turion trouva son esclave en pleine santé.

Une autre fois, Jésus se rendait dans une ville appelée Naïm. Il arriva près de la porte de la ville, au moment même où l'on transportait un mort. C'était un fils unique, et sa mère était veuve. En la voyant, Jésus fut saisi de pitié et il lui dit : *"Ne pleure pas."*

Alors il s'approcha de la civière et dit d'une voix forte : *"Jeune homme, je te l'ordonne, lève-toi."* Alors le mort se redressa et se mit à parler.

LES RENCONTRES DE JÉSUS

Marc 14, Luc 7 et 19, Jean 3

Zachée

Alors que Jésus traversait la ville de Jéricho, Zachée voulait le voir. Mais il était si petit et la foule si nombreuse qu'il ne le pouvait pas. Alors il grimpa sur la plus haute branche d'un arbre. *"D'ici au moins, je le verrai passer"*, se disait-il. Arrivé là, Jésus le vit et l'interpella : *"Descends, Zachée, je veux venir dans ta maison."* Zachée reçut Jésus avec beaucoup de plaisir.

Tous étaient scandalisés : *"Jésus est entré dans la maison d'un pécheur !"* Personne n'aimait Zachée car il collectait les impôts au profit des occupants romains ; il était très riche.

Zachée promit à Jésus de donner la moitié de sa fortune aux pauvres. Jésus lui répondit : *"Ce ne sont pas les hommes justes qui ont besoin d'entendre la Bonne Nouvelle mais les pécheurs ! Je suis venu pour les sauver."*

La pécheresse

Simon, un pharisien, avait invité Jésus à manger avec lui. Tandis qu'ils prenaient leur repas, une femme de mauvaise vie entra chez le pharisien. Elle voulait à tout

prix rencontrer Jésus. Quand elle le vit, elle se jeta à ses pieds. Elle sanglotait si fort que ses larmes mouillaient les pieds de Jésus. Alors, elle les essuya avec sa longue chevelure et y versa du parfum.

En voyant cela, le pharisien était très choqué et s'exclama : *"Sais-tu que cette femme est une pécheresse ?"*

Alors Jésus dit à Simon : *"Quand je suis entré, tu ne m'as pas donné de baiser. Or cette femme n'a cessé de m'embrasser les pieds*

depuis qu'elle est entrée. A cause de son grand amour, de sa foi et de son repentir, ses nombreux péchés sont pardonnés."

"Qui est cet homme qui va jusqu'à parler aux pécheurs et à pardonner ?" s'interrogeait Simon.

Nicodème

Pendant la nuit, un pharisien du nom de Nicodème se rendit chez Jésus. Cet homme avait une grande renommée parmi les Juifs. Il lui dit : "Rabbi – ce qui veut dire 'Maître' – nous savons que c'est Dieu qui t'a envoyé pour nous enseigner la nouvelle Loi que tu appelles 'Bonne Nouvelle'. Car tu accomplis de tels prodiges !" Jésus lui répondit : "Tu as raison. Je suis venu pour instruire les hommes sur le Royaume de mon Père des Cieux. Pour y entrer, il vous faut renaître."

Surpris, Nicodème interrogea Jésus : "Comment est-il possible de naître quand on est déjà vieux ?" Jésus lui répondit :

"Renaître ne veut pas dire rentrer dans le sein de sa mère et naître une seconde fois. Renaître signifie accueillir l'Esprit saint et faire grandir

sa foi pour qu'un jour les hommes vivent éternellement dans le Royaume de Dieu."

La Samaritaine

Un autre jour, après une longue journée de marche, Jésus arriva auprès d'un puits en Samarie. Survint une femme qui venait puiser. Jésus lui dit : "Donne-moi à boire." La femme lui répondit : "Comment, toi un Juif, tu me demandes à boire !" Car les Juifs détestaient les Samaritains. Jésus lui répondit : "Si tu savais le don de Dieu ! Si tu savais qui je suis, c'est toi qui m'aurais demandé à boire, et je t'aurais donné de l'eau vive." Et Jésus reprit : "Tout homme qui boit de l'eau de ce puits aura encore soif. Mais celui qui boit l'eau que je donne n'aura plus jamais soif !"

LE BON SAMARITAIN

Luc 10

Un homme demanda à Jésus : "Que dois-je faire pour avoir la vie éternelle et entrer dans le Royaume de ton Père des Cieux ?" Jésus lui répondit : "Il te faudra aimer le Seigneur Dieu et ton prochain comme toi-même." L'homme interrogea Jésus :

"Mais qui donc est mon prochain ?"

"Ecoute cette histoire et tu vas comprendre, lui dit Jésus. Un homme était en route vers Jéricho. Tandis qu'il marchait, des bandits surgirent sur le chemin, lui volèrent tous ses biens et lui donnèrent de grands coups de pieds. Il gisait par terre à moitié mort. Un prêtre passa à côté de lui ; il le vit et traversa le chemin. De même, un lévite passait par là ; il le vit et continua sa route. Un étranger, un Samaritain, qui était en voyage descendait par ce chemin. Il le vit et s'empressa de panser ses nombreuses plaies. Puis, il le porta jusque sur son âne et partit avec lui vers l'auberge la plus proche. Le len-

demain, il donna à l'aubergiste deux pièces d'argent et lui dit : 'Occupe-toi bien de lui et, si tu as besoin de plus d'argent, je te rembourserai quand je reviendrai.'"

Quand il eut fini de raconter cette histoire, Jésus dit à l'homme : "A ton avis, lequel de ces trois hommes a été le prochain de l'homme tombé entre les mains des bandits ? Le prêtre, le lévite ou le Samaritain ?"

L'homme répondit : "C'est le Samaritain qui s'est si bien occupé de lui !" "Tu as raison, dit Jésus. Si tu veux la vie éternelle, alors agis de la même façon."

L'amour est au cœur du Royaume de Dieu. Il sera même le critère du Jugement dernier comme l'explique Jésus : "Quand je reviendrai dans la gloire à la fin des temps, je séparerai les hommes les uns des autres. Aux uns je dirai : 'Venez avec moi les bénis de mon Père car j'avais faim et vous m'avez donné à manger, j'étais étranger et vous m'avez accueilli, j'étais malade et vous m'avez soigné.' Alors les justes répondront : 'Seigneur, quand donc t'avons-nous

secouru ?' Et je leur répondrai : 'Chaque fois que vous l'avez fait à l'un de mes frères les hommes, c'est à moi que vous l'avez fait, Alors je dirai aux autres : 'Allez-vous-en, maudits, dans le feu éternel préparé par le démon. Car j'avais faim et vous ne m'avez pas donné à manger ; j'étais étranger et vous ne m'avez pas accueilli ; j'étais malade et vous ne m'avez pas soigné.'"

Jésus Ressuscite son Ami Lazare

Luc 10, Jean 11

Lazare et ses deux sœurs, Marthe et Marie, invitaient souvent leur ami Jésus dans leur maison.

Quand il venait, Marie cessait toutes ses activités pour s'asseoir près de lui. Elle aimait l'écouter parler de la Bonne Nouvelle et ne se lassait pas d'entendre la Parole de Dieu.

Quant à Marthe, elle ne savait pas s'arrêter de travailler. Toujours, elle vaquait à de multiples occupations. Agacée par le comportement de sa sœur, Marthe dit un jour à Jésus : *"Demande donc à Marie de m'aider à préparer le repas ! Il n'y a que moi qui travaille ici !"*

Et Jésus lui répondit gentiment : *"Marthe, tu t'agites beaucoup trop, le repas peut attendre ! Ta sœur Marie désire écouter la Parole de Dieu et elle a raison. N'est-ce pas plus essentiel que de manger à l'heure ?"*

Une autre fois, Marthe et Marie envoyèrent dire à Jésus : *"Lazare, notre frère, est très malade. Viens vite le visiter."* Jésus prit la route vers Béthanie, mais quand il arriva son grand ami était mort depuis déjà quatre jours. Beaucoup de voisins étaient venus manifester leur sympathie à Marthe et Marie. Marthe s'adressa à Jésus et lui dit : *"Si tu avais été là avant, mon frère ne serait pas mort. Tu l'aurais guéri !"*

Jésus était profondément affecté par la mort de Lazare. Il l'aimait tant !

Alors Jésus promit à Marthe : *"Ton frère ressuscitera le jour de la résurrection de tous les morts."*

Jésus lui dit : *"Je suis la résurrection et la vie. Celui qui croit en ma Parole vivra pour toujours. Le crois-tu, Marthe ?"*

"Oui, je le crois. Tu es le Fils de Dieu, venu sur la terre pour que les hommes vivent pour toujours."

Puis Marthe, Marie et Jésus se rendirent au tombeau de Lazare. Tous les trois pleuraient beaucoup. Certains disaient : *"Ils devaient beaucoup l'aimer !"* D'autres pensaient : *"Cet homme, Jésus, qui a fait tant de miracles, ne pouvait-il pas empêcher Lazare de mourir ?"*

Jésus retint son émotion et s'approcha du tombeau en demandant qu'on enlevât la pierre qui en fermait l'entrée.

Marthe s'exclama : *"Mais, Jésus !"*

On enleva la pierre et Jésus pria : *"Père, je te prie pour que la foule croie vraiment que tu m'as envoyé."* Puis il ordonna : *"Lazare, sors de ce tombeau !"*

Alors Lazare se leva et s'avança vers ceux qu'il aimait.

L'Entrée de Jésus à Jérusalem

Matthieu 21, Marc 11, Luc 19, Jean 12, Zacharie 9, Isaïe 56, psaume 8

La fête de la Pâque juive approchait. A cette occasion, beaucoup de gens se rendaient à Jérusalem. Tous voulaient rencontrer Jésus. *"Pensez-vous qu'il viendra à la fête ?"* s'interrogeaient-ils les uns les autres.

Jésus et ses disciples, quant à eux, s'approchaient de Jérusalem. Jésus envoya deux de ses disciples lui chercher une ânesse et son petit, ils y posèrent leurs manteaux et Jésus s'assit dessus.

La foule venue pour la fête apprit que Jésus arrivait à Jérusalem. Ils cueillirent des rameaux de palmiers et les secouèrent en l'acclamant : *"Hosanna, vive le descendant du roi David ! Béni soit celui qui vient au nom du Seigneur !"*

Quand Jésus entra dans Jérusalem, toute la ville était agitée. *"Qui est cet homme ?"* demandaient certains. *"C'est le prophète Jésus. Il vient de Nazareth en Galilée"*, leur répondait-on.

Puis Jésus entra dans le temple. Là, il fut envahi d'une grande colère et chassa tous les marchands qui s'y trouvaient. Il leur dit : *"Ma maison est un lieu de prière et, vous, vous faites du commerce dans ce temple ! Sortez !"* Les grands prêtres et les pharisiens étaient indignés. Ils se mirent à comploter contre Jésus parce que beaucoup de Juifs voulaient le suivre. Ils décidèrent d'arrêter Jésus et de le faire mourir. *"Mais pas en pleine fête, se disaient-ils, le peuple se révolterait trop violemment."* Alors, l'un des douze apôtres de Jésus, Judas Iscariote, dit aux chefs des prêtres : *"Combien d'argent me donnez-vous si je vous le fais prisonnier ?"* Ils lui proposèrent trente pièces d'argent. Judas accepta et chercha une occasion pour livrer Jésus.

Pendant ce temps, Jésus disait à André

et Philippe : *"Voici venu le moment où je dois être glorifié. En vérité, je vous le dis, si le grain de blé tombé en terre ne meurt pas, il reste seul. Mais, s'il meurt, il porte beaucoup de fruits."*

Jésus parlait ainsi pour leur faire comprendre qu'il devait mourir pour tous les hommes avant de ressusciter dans la gloire.

Et Jésus ajouta : *"Moi, la Lumière, je*

suis venu dans le monde pour que tous ceux qui croient en moi ne vivent plus dans les ténèbres car j'ai été envoyé par mon Père pour sauver le monde."

LA CÈNE

Matthieu 26, Marc 14, Luc 22, Jean 13

Le jour de la fête de la Pâque (c'est-à-dire l'anniversaire du "du passage" des Hébreux de l'esclavage en Egypte à la liberté), Jésus réunit ses amis autour d'un repas d'adieu. C'est aussi un repas d'offrandes au cours duquel Jésus offre sa vie à Dieu son Père pour obtenir le pardon de tous les péchés de tous les hommes de tous les temps. Le pain et le vin sont les signes qu'il nous laisse pour refaire cette offrande en son Nom : c'est la messe qui rend Jésus vraiment présent au milieu de nous, aujourd'hui. Oui, la messe, c'est la présence actuelle de Jésus-Christ qui nous fait tous "passer" par lui, avec lui et en lui dans la vie de son Père.

Jésus savait qu'il allait bientôt mourir et rejoindre son Père des Cieux. Alors qu'il était à table avec ses douze apôtres, il leur dit : *"L'un de vous va me trahir et me livrer."* Attristé, chacun demandait : *"Serait-ce moi, Seigneur ?"* Judas posa à son tour la question : *"Serait-ce moi ?"* *"Oui"*, lui répondit Jésus. Puis Jésus se leva de table et noua une serviette autour de sa taille. Il versa de l'eau dans un bassin puis il se mit à laver les pieds de ses disciples soigneusement. Il leur dit alors : *"Comprenez-vous pourquoi je vous lave les pieds ?*

Vous m'appelez 'Maître' et 'Seigneur', c'est vrai, je le suis. Si moi, le Seigneur et Maître, j'agis ainsi alors vous aussi faites-le aux autres. C'est un exemple que je vous donne pour vous inviter à vous mettre au service les uns des autres. Mes amis, je vais bientôt vous quitter et vous me chercherez. Aussi je vous laisse un commandement nouveau : 'Aimez-vous les uns les autres comme je vous ai aimés. Or, il n'y a pas de plus grande preuve d'amour que de donner sa vie pour ceux qu'on aime.' Ce qui montrera que vous êtes mes disciples, c'est l'amour que vous aurez les uns pour les autres. Ne soyez pas tristes, je pars vous préparer une place dans la maison de mon Père des Cieux."

Pendant le repas, Jésus prit du pain, le bénit, le rompit et le donna à ses disciples, en disant :
"Ceci est mon corps livré pour vous, prenez et mangez."

Puis il remplit une coupe de vin, il rendit grâce à son Père des Cieux, et la leur donna en disant :
"Buvez-en tous car ceci est mon sang, le sang de l'Alliance qui va être répandu pour toute l'humanité en rémission des péchés."

Puis Jésus ajouta :
"Faites ceci en mémoire de moi."

Après le repas, Jésus leur fit ses dernières confidences : "Voici que le Démon va vous soumettre à l'épreuve, mais j'ai prié

mon Père afin que votre foi reste forte.''
Alors Simon-Pierre dit à Jésus : *"Si nous sommes mis à l'épreuve et nous nous laissons tenter à cause de toi, je ne céderai pas à la tentation."* Et Jésus dit à Simon-Pierre : *"Ne dis pas cela car cette nuit, avant que le coq ne chante, on te demandera trois fois si tu me connais et trois fois tu répondras 'non'."* Simon-Pierre lui répondit : *"Mais, Seigneur, je t'aime trop, je donnerai ma vie pour toi !"*

Jésus leur disait encore : *"Vous serez dans la peine, mais bientôt votre peine se transformera en joie. Quand une maman va accoucher, elle est dans l'angoisse. Mais, quand son enfant est né, elle oublie toutes ses douleurs, dans la joie d'avoir donné au monde un nouvel être humain.*

JÉSUS EST ARRÊTÉ

Matthieu 26, Marc 14, Luc 22, Jean 18

Jésus sait bien que la mort n'est qu'un passage. Cependant, il est vrai homme et, comme tout homme, il redoute cette épreuve. A l'heure de notre mort, souvenons-nous de la prière de Jésus : "Père, si tu le veux, épargne-moi cette épreuve. Mais que ta volonté soit faite."

En pleine nuit, Jésus marcha avec ses disciples jusqu'au jardin de Gethsémani. Là, il confia à Pierre, Jacques et Jean sa tristesse et son angoisse de savoir qu'il allait bientôt être livré aux mains de ses ennemis. Dans sa tristesse, il priait son Père des Cieux : *"Père, épargne-moi les souffrances de la mort. Cependant, que ce ne soit pas ma volonté qui se fasse mais la tienne."*

Après cette prière, Jésus rejoignit ses amis, qu'il trouva endormis. Il leur dit : *"Restez éveillés, et priez pour ne pas entrer en tentation."*

Il parlait encore quand une troupe arriva avec Judas à sa tête. Le traître s'approcha de Jésus pour l'embrasser. Jésus lui dit : *"Judas, c'est par un baiser que tu livres le Christ ?"* C'était le signe dont Judas, le traître, était convenu pour désigner Jésus aux hommes venus pour s'emparer de lui. Munis d'épées et de bâtons, les hommes s'avancèrent vers Jésus et se saisirent de lui. Pierre sortit son épée. Jésus lui dit : *"Laisse-les faire. C'est la volonté de mon Père !"*

Ils l'emmenèrent chez Caïphe, le grand prêtre.

Les disciples avaient pris la fuite, seuls Pierre et Jean suivaient Jésus de loin.

Tous les grands prêtres et les scribes se rassemblèrent et cherchaient ensemble un motif pour condamner Jésus à mort. Ils avaient beau réfléchir, ils n'en trouvaient pas. Caïphe se leva et interrogea Jésus sur ses disciples et sa Bonne Nouvelle.

"Pourquoi toutes ces questions ? dit Jésus. Je ne me suis jamais caché pour enseigner ! Qu'ai-je dit de mal ?"

Alors Caïphe dit à Jésus : *"Tu as bien dit que tu étais le Fils de Dieu."*

"Oui, c'est vrai je le suis", répondit Jésus.

"Au regard de notre Loi, c'est un crime de se prétendre Dieu, dit Caïphe. Voilà une bonne raison pour le faire mourir !"

Et ils se mirent à gifler Jésus.

Pierre était resté dehors, près de la porte. Une jeune servante l'aperçut et lui demanda : *"N'es-tu pas un des disciples de cet homme ?"*

Pierre répondit : *"Non, je ne le connais pas."*

Les serviteurs avaient fait un grand feu pour se réchauffer. Comme Pierre avait froid, il vint s'asseoir avec eux. On lui demanda de nouveau : *"Cet homme est un de tes amis, n'est-ce pas ?"*

"Non, je ne le connais pas", insista Pierre.

Mais un autre lui dit : *"Tu mens, je t'ai vu*

avec lui à Gethsémani."

Encore une fois, Pierre répondit que non. Le coq chanta. Et Pierre se rappela ce que Jésus lui avait dit : *"Tu me renieras trois fois avant le chant du coq."*

A cet instant, Jésus tourna la tête et posa son regard sur Pierre. Bouleversé, Pierre sortit et pleura amèrement.

JÉSUS EST CONDAMNÉ À MORT

Matthieu 27, Marc 15, Luc 23, Jean 18-19, Isaïe 53

Face au mal et à la souffrance, nous sommes tentés de considérer que la vie est absurde et qu'elle ne vaut pas le coup d'être vécue. Et pourtant, si Dieu lui-même s'est fait homme, s'il a souffert et s'il est mort pour nous, c'est que notre vie est la chose la plus importante et la plus précieuse à ses yeux !
Non, nous ne sommes pas condamnés au malheur ; mais, au contraire nous sommes appelés au bonheur.

On emmena Jésus chez Pilate, le gouverneur des Romains. Pilate sortit de son palais et interrogea les chefs des prêtres : *"Que reprochez-vous à cet homme ?"*

Ils lui répondirent : *"Cet homme dit qu'il est le roi des Juifs et il sème le trouble parmi la population. C'est pour cela que nous te le livrons."*

"Jugez-le vous-mêmes selon votre loi", répondit Pilate.

Mais les chefs des prêtres lui dirent : *"Nous n'avons pas le droit de condamner nous-mêmes quelqu'un à mort."*

Alors Pilate s'adressa à Jésus : *"Es-tu vraiment le roi des Juifs ?"*

Jésus répondit : *"C'est toi-même qui dis que je suis roi ! Mais mon Royaume n'est*

pas de ce monde. Si mon Royaume était de ce monde, j'aurais des gardes qui se seraient battus pour moi. Je suis venu dans ce monde pour faire connaître à tous la vérité. Tout homme qui est dans le vrai écoute ma voix."

Pilate dit aux chefs des prêtres : "Je ne vois pas en cet homme de motif de condamnation. C'est bientôt la Pâque et la coutume veut que l'on relâche un prisonnier. Voulez-vous que je relâche Jésus ?" Les chefs des Juifs répondirent : "Libère Barabbas, le bandit, et condamne Jésus à la place !"

"Mais je ne vois pas ce qu'il a fait de mal", continua Pilate.

"Crucifie-le !" criait la foule excitée par

ses chefs.

Devant la foule, Pilate se lava les mains dans un petit bassin rempli d'eau et dit : "Crucifiez-le vous-mêmes ; moi je ne veux pas être responsable de la mort de cet homme. Vraiment, je ne vois pas de raison pour le condamner."

"Cet homme doit mourir parce qu'il dit qu'il est le Fils de Dieu", dirent les chefs des prêtres et la foule des Juifs. Voyant l'obstination de ces hommes, Pilate leur livra Jésus : "Voici votre roi."

La foule cria : "A mort ! A mort !"

Or les soldats avaient fait une couronne avec des épines et l'avait posée sur la tête de Jésus. Pour se moquer de lui, ils le revêtirent d'un manteau de la couleur royale, c'est-à-dire rouge pourpre.

Ils lui disaient : "Salut, roi des Juifs !" et ils le giflaient.

Quand ils se furent moqués de lui, ils l'emmenèrent pour le crucifier.

JÉSUS MEURT SUR LA CROIX

Matthieu 27, Marc 15, Luc 23, Jean 19

Regardons Jésus sur la croix, contemplons-le, adorons-le, et nous découvrirons que la souffrance peut devenir le signe que toute la création se bat contre le mal. Et que la mort elle-même devient le signe que le mal est vaincu par l'amour.

Oui, grâce aux souffrances et à la mort de Jésus, toutes les souffrances que nous endurons, et notre mort qui vient, nous donnent la certitude absolue que nous serons délivrés du Mal.

Les Juifs chargèrent Jésus de sa croix et ils le conduisirent jusqu'au lieu-dit du "Golgotha". Au sommet de la croix, Pilate avait fait placer un écriteau où il était écrit : "Cet homme est le roi des Juifs".

Tandis qu'on se moquait de lui, Jésus invoqua son Père des Cieux en lui disant :

"Père, pardonne à ces hommes, ils ne savent pas ce qu'ils font."

Les soldats décidèrent de se partager les vêtements de Jésus. Il avait une grande tunique cousue d'une seule pièce et les soldats la tirèrent au sort.

Puis, ils crucifièrent Jésus, ainsi que deux bandits, l'un à sa droite et l'autre à sa gauche. Marie se tenait au pied de la croix de son fils avec Jean.

Jésus dit à Marie en désignant Jean : *"Maman, voici ton fils."*

Puis il dit à Jean : *"Voici ta mère."*

L'un des bandits en croix à côté de Jésus lui dit : *"Nous, nous sommes punis à cause de nos fautes. Toi, tu n'as rien fait de mal !"* Et il suppliait Jésus de lui préparer une place dans le Royaume de son Père des Cieux. Jésus lui promit qu'il serait avec lui dans le Paradis.

Puis, Jésus demanda à boire. Les soldats approchèrent de sa bouche une éponge tout imbibée de vinaigre. Enfin Jésus dit :

"*Maintenant, la volonté de mon Père des Cieux est accomplie.*" Il fit une dernière prière : "*Père, entre tes mains je remets ma vie.*" Puis il inclina la tête et mourut.

C'était la veille de la fête de la Pâque et il ne fallait pas laisser de corps en croix le jour du sabbat. C'était la loi. Alors les Juifs demandèrent à Pilate qu'on les enlevât.

Un des soldats perça avec sa lance le cœur de Jésus. Il en sortit du sang et de l'eau.

Après avoir assisté à la mort de Jésus, le centurion s'exclama : "*Vraiment cet homme était le Fils de Dieu.*"

Après cela, Joseph d'Arimathie, un homme juste qui croyait à la Bonne Nouvelle, réclama à Pilate le corps de Jésus afin de l'ensevelir avant le sabbat. Nicodème (l'homme à qui Jésus avait expliqué que renaître signifiait changer son cœur pour vivre éternellement dans le Royaume

LA RÉSURRECTION DE JÉSUS

Matthieu 27-28, Marc 15-16, Luc 23-24, Jean 19-20

Pour nous prouver son amour, Jésus a donné sa vie pour nous...
En face du mystère de la vie, il nous demande de lui faire confiance comme un petit enfant fait confiance à ses parents.
N'ayons pas peur ! Si comme Jésus nous acceptons de faire dans nos vies la volonté du Père, il nous ressuscitera au dernier jour comme il a ressuscité son Fils Jésus.
Car, au matin de Pâques, en Jésus, toute l'humanité est passée de la mort à la vie.
C'est le plus beau jour du monde !
Enfin on peut espérer : la mort n'est plus redoutable. Elle n'est qu'un passage.

Le tombeau de Jésus était gardé par les soldats de Pilate. En effet, Jésus avait dit à ceux qui l'avaient condamné à mort : *"Trois jours après ma mort, je ressusciterai !"*

de Dieu) vint aussi. Tous deux, ils enveloppèrent le corps de Jésus dans un grand morceau de tissu appelé linceul qu'ils parfumèrent avec des aromates. Ils déposèrent le corps de Jésus dans un tombeau tout neuf, creusé dans le roc.

Puis ils roulèrent une grande pierre à l'entrée du tombeau. Il y avait avec eux Marie-Madeleine et Marie la mère de Jacques.

Les chefs des prêtres et les pharisiens n'étaient pas rassurés.

Or, le lendemain du sabbat, Marie-Madeleine et Marie, la mère de Jacques, et Salomé, se rendirent au tombeau de Jésus avec des aromates. Il était très tôt et il faisait encore sombre. A leur grande surprise, elles constatèrent que la pierre

pleurs, l'ange du Seigneur, tout vêtu de blanc, se tenait assis dans le tombeau vide. Elles le virent et eurent très peur. *"Ne craignez rien !"* leur dit-il. Puis, il leur demanda la raison de leur si grande peine. *"Nous cherchons Jésus de Nazareth, le Crucifié. Son corps a disparu !"* s'exclamèrent les deux femmes. L'ange du Seigneur les rassura :

que Nicodème et Joseph avaient roulée devant l'entrée du tombeau pour le fermer avait été enlevée. *"Cette pierre est très lourde. Qui a bien pu la déplacer ?"* se demandaient-elles. En entrant dans le tombeau, elles ne virent pas le corps de Jésus. Remplies d'inquiétude et de tristesse, elles allèrent chercher Simon-Pierre et un autre disciple et leur dirent : *"On a enlevé le corps de Jésus et nous ignorons où il se trouve !"* Ils accoururent au tombeau et constatèrent qu'il était vide.

Tandis que les deux femmes étaient en

"Jésus n'est pas ici, il est ressuscité !"

A ces mots, les deux femmes comprirent que Jésus était vivant. Elles se rappelèrent ce que le Fils de Dieu leur avait dit avant d'être crucifié.

"Allez donc dire aux disciples que Jésus est ressuscité. Dites-leur aussi qu'ils doivent partir pour la Galilée. Là, ils le verront", leur demanda l'ange du Seigneur. Elles quittèrent le tombeau et, remplies de joie, elles coururent annoncer la nouvelle aux disciples.

JÉSUS
SE MANIFESTE
À SES DISCIPLES

Matthieu 27-28, Marc 16, Luc 24, Jean 20

Quand Marie-Madeleine trouva les disciples, elle leur raconta ce que l'ange du Seigneur lui avait dit. Mais, il n'en crurent pas un mot.

Pendant ce temps, deux d'entre eux marchaient vers un village appelé Emmaüs. Tandis qu'ils discutaient, Jésus s'approcha et fit un bout de chemin avec eux. Les disciples étaient tellement envahis de tristesse qu'ils ne le reconnurent pas.

Jésus les interrompit : *"De quoi parlez-vous ? Vous avez l'air si triste !"*

Ils leur répondirent : *"Comment tu n'es pas au courant de la mauvaise nouvelle ? Tu es bien le seul ! Figure-toi qu'il y a trois jours, Jésus de Nazareth a été crucifié ! C'était un prophète, il annonçait la Bonne Nouvelle et prêchait la Parole de Dieu à tout le peuple. Ce matin, deux femmes de notre groupe se sont rendues à son tombeau. Elles disent qu'un ange leur est apparu pour leur dire que Jésus est vivant. Quelques-uns de nos compagnons se sont rendus au tombeau,*

mais eux ils n'ont rien vu du tout ! Nous sommes vraiment très troublés !"

Jésus leur dit alors : *"Vous n'avez rien compris ! Les prophètes avaient pourtant annoncé que le Sauveur souffrirait et ressusciterait le troisième jour."* Et, chemin faisant, Jésus leur expliqua tout ce qui le concernait dans les Ecritures.

Au fur et à mesure qu'ils parlaient, ils

s'approchèrent du village d'Emmaüs. Comme la nuit tombait, les deux disciples invitèrent Jésus à souper avec eux. Ils ne savaient toujours pas que c'était lui.

Quand ils furent à table, Jésus prit le pain, le bénit, le rompit et le leur donna, comme il le fit le soir de la Cène. A ces gestes, les disciples le reconnurent. Puis Jésus disparut à leurs yeux.

Les deux disciples regagnèrent Jérusalem. Là, ils racontèrent à leurs compagnons qu'ils avaient vu Jésus : *"Nous l'avons reconnu quand il a rompu le pain comme le dernier soir où nous avons mangé avec lui."*

Les disciples avaient bien pris soin de

fermer à clef toutes les portes du lieu dans lequel ils étaient. Ils avaient peur des Juifs. Jésus apparut au milieu d'eux et leur dit : *"Que la paix soit avec vous tous !"* Puis, il leur montra ses mains et son côté percés. Les disciples étaient si heureux de savoir que Jésus était vivant !

Thomas n'était pas parmi les disciples quand Jésus leur rendit visite. Il ne voulut pas croire qu'il était vivant. *"Si je ne vois pas la marque des clous sur ses mains et ses pieds et si je ne mets pas la main dans son côté, je ne le croirai pas !"* disait-il.

Huit jours après, les disciples se trouvaient de nouveau dans la maison. Et Thomas était avec eux.

Jésus vint au milieu d'eux et leur dit : *"Que la paix soit avec vous tous !"* Puis il dit à Thomas : *"Regarde les marques des clous sur mes mains et mes pieds. Mets ton doigt dans mon côté. Tu vois, c'est bien moi. Je suis vivant ! Cesse donc de douter !"*

Tout joyeux, Thomas se jeta aux pieds de Jésus : *"C'est bien toi, Seigneur ! Tu es ressuscité !"*

Jésus lui dit : *"Tu crois parce que tu m'as*

vu. *Heureux ceux qui croient sans avoir vu.*"

Plus tard, sur la montagne en Galilée, Jésus s'adressa à tous les disciples : "*Bientôt, vous serez remplis de l'Esprit saint. Vous irez dans le monde entier annoncer à tous les hommes la Bonne Nouvelle que je vous ai enseignée.*"

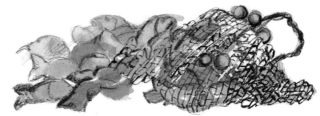

JÉSUS RETOURNE VERS SON PÈRE

Jean 21, Actes 1

Ainsi Jésus, sa mission de salut accomplie, retourne vers son Père, vers notre Père. Nous aussi, au bout de notre existence, nous suivrons le même chemin et c'est Jésus lui-même qui nous accueillera dans le Royaume de Dieu. Il nous l'a promis : "Si je vous quitte, c'est pour aller vous préparer une place dans les Cieux !"
En attendant, Jésus nous confie la mission d'être ses témoins sur terre, il n'est plus là, mais nous sommes bien là pour le représenter !

Pour la troisième fois, Jésus vint rendre visite à ses disciples. Il se tint sur le bord du lac de Tibériade. Les disciples étaient sortis en bateau pour pêcher le poisson, mais, cette nuit-là, ils n'avaient rien pris. Au petit matin, ils revinrent sur le rivage. Jésus les attendait. "*La pêche a été bonne ?*" leur demanda-t-il.

"*Non. Nous n'avons rien pris*", répondi-

rent les disciples sans savoir que c'était Jésus. "*Jetez donc votre filet à droite du bateau*

146

et vous trouverez beaucoup de poissons", proposa Jésus. Les disciples suivirent ses conseils. Le filet était si plein de poissons qu'ils n'avaient pas assez de force pour le

remonter ! A cet instant, Jean reconnut Jésus. Alors Simon-Pierre se jeta à l'eau et gagna le rivage à la nage pour rejoindre Jésus. Une fois à terre, les disciples mangèrent les poissons grillés que Jésus lui-même leur avait préparés.

A la fin du repas, Jésus demanda à Simon-Pierre : *"M'aimes-tu ?"*

Il lui répondit : *"Bien sûr que je t'aime, Seigneur ! Tu le sais."*

Jésus l'interrogea une seconde fois : *"Simon-Pierre, m'aimes-tu ?"*

Il lui répondit : *"Oui, je t'aime, Seigneur ! Tu le sais."*

Alors Jésus lui dit : *"Je voudrais que tu sois le guide du peuple de Dieu."* Puis Jésus lui demanda une troisième fois : *"Simon-Pierre, est-ce que tu m'aimes ?"* Simon-Pierre répondit : *"Oui, Seigneur, toi qui sais tout, tu sais bien que je t'aime !"*

Alors Jésus lui dit : *"Sois le berger de mes brebis !"*

Quarante jours après sa résurrection, Jésus prit le repas avec ses disciples pour la dernière fois. Il leur fit promettre de ne pas quitter Jérusalem et leur rappela : *"Dans quelques jours, vous allez recevoir la force de l'Esprit saint. Vous serez mes témoins et vous partirez annoncer la Bonne Nouvelle au monde entier."*

Après ces paroles, Jésus s'éleva vers le ciel, dans une grande nuée. Les disciples avaient les yeux fixés au ciel tandis que Jésus s'en allait. Puis deux anges vêtus de blanc s'adressèrent aux disciples : *"Pourquoi restez-vous là à regarder le ciel ? Jésus est parti rejoindre son Père des Cieux. Il reviendra de la même manière que vous l'avez vu s'en aller vers le ciel."*

Alors les disciples quittèrent le mont des Oliviers pour retourner à Jérusalem.

En chemin, ils se posaient beaucoup de questions à propos du départ de Jésus. Ils étaient désemparés et ils essayaient de se souvenir des dernières confidences de Jésus : *"Ne soyez pas tristes, si je vous quitte c'est pour aller vous préparer une place dans le Royaume de mon Père. Pour me suivre là où je vais, vous connaissez le chemin. Tout ce que vous demanderez à mon Père en mon Nom, je le ferai.*

"Je ne vous laisserai pas seuls comme des orphelins, je vous enverrai un défenseur qui sera avec vous tous les jours. C'est l'Esprit saint, lui vous rappellera tout ce que je vous ai dit et il vous fera tout comprendre. Si vous m'aimiez, vous vous réjouiriez. C'est dans votre intérêt que je pars, car je vous enverrai l'Esprit saint. Avec lui vous ferez des choses aussi belles que celles que j'ai faites parmi vous.

"J'ai quitté le sein du Père pour venir sauver le monde, maintenant je quitte le monde et je retourne dans le sein du Père."

148

La Pentecôte ;
Naissance
de l'Eglise

Actes 2

La Pentecôte fête la naissance de l'Église du Christ,
c'est-à-dire du peuple des disciples de Jésus qui se met
en marche vers le Père, guidé par l'Esprit saint.

Le jour de la Pentecôte, les apôtres
étaient tous réunis autour de la Vierge
Marie. Cela faisait dix jours que Jésus les
avait quittés pour retourner vers son Père
des Cieux.

Soudain, un violent coup de vent
secoua la maison dans laquelle ils se trouvaient. Puis ils virent apparaître une sorte
de feu qui se partageait en langues. Il se
posa sur chacun d'eux. Ils furent tous remplis de l'Esprit saint et se mirent à parler
toutes les langues de la terre. Chacun
selon le don que l'Esprit lui avait donné.

A Jérusalem, il y avait des Juifs issus de tous les pays du monde. Comme il y avait beaucoup de bruit, la foule se rassembla. Ils étaient tous très surpris parce que chacun d'eux entendait parler les apôtres dans sa propre langue. Ils disaient : *"Ces hommes sont des Galiléens ! Comment se fait-il que nous les entendons parler des merveilles de Dieu dans notre langue maternelle ?"* D'autres disaient : *"Ils ont bu trop de vin !"*

Alors Pierre prit la parole et s'adressa à la foule : *"Hommes d'Israël, écoutez donc ! Ce qui arrive, le prophète Joël l'avait annoncé. Vous vous souvenez de Jésus le Nazaréen qui a accompli des miracles et proclamé la Bonne Nouvelle de Dieu ? Cet homme, vous l'avez fait mourir en le crucifiant. Eh bien, Dieu, son Père des Cieux, l'a ressuscité ! Nous en sommes les témoins. Aujourd'hui, il nous a remplis de son Esprit saint. C'est pour* cela que vous nous entendez chacun dans votre langue maternelle."

LES PREMIÈRES COMMUNAUTÉS CHRÉTIENNES ET LE MARTYRE D'ÉTIENNE

Actes 6-8

Après la Pentecôte, de nombreuses foules venaient écouter l'enseignement des apôtres.

Ceux qui avaient la foi se réunissaient souvent pour prier ensemble et rendre Jésus présent en rompant le pain comme le Christ le fit le soir de la Cène.

Le nombre de ceux qui voulaient suivre la Parole du Seigneur et rejoindre ces communautés augmentait sans cesse. Même des prêtres juifs accueillaient eux aussi la Bonne Nouvelle du Christ.

Au sein des premières communautés, les apôtres servaient les repas aux veuves et aux pauvres. Ils étaient débordés tant il y avait de monde ! *"Nous n'avons même plus le temps d'annoncer la Parole de Dieu et de prier, ce n'est pas normal !"*

Alors les douze apôtres rassemblèrent tous les fidèles et leur dirent : *"Nous*

avons besoin de sept hommes justes, remplis de la foi et d'Esprit saint pour préparer et servir les repas. Ainsi nous serons totalement disponibles pour notre mission qui est d'annoncer la Bonne Nouvelle à tous."

Sept hommes furent choisis. Les apôtres prièrent et leur imposèrent les mains.

Étienne, l'un d'eux, était rempli de sagesse, d'intelligence et de foi. Un jour, il discutait de la Bonne Nouvelle de Jésus et de l'Esprit saint avec des gens d'une synagogue. Comme ils ne voulaient pas croire Étienne, ils lui dirent : *"Tu insultes Dieu et la Loi de Moïse."*

Étienne répondit : *"Que votre cœur est lent à croire ! Vous résistez à l'Esprit saint ! Pourtant Jésus est venu lui-même renouveler l'Alliance entre Dieu et les hommes ! Vous êtes sans foi, comme ceux qui l'ont crucifié !"*

A ces mots, ceux qui étaient dans la synagogue furent très en colère. Ils entraînèrent Étienne hors de la ville et lui jetèrent des pierres jusqu'à ce que mort s'en suivît.

LA CONVERSION DE SAUL

Actes 9

Saul fut l'un de ceux qui firent mourir Étienne. Il ne croyait pas à la Bonne Nouvelle de Jésus et alla trouver le grand prêtre de Damas pour lui demander d'emprisonner tous les disciples de Jésus.

Tandis qu'il approchait de Damas, une grande lumière venue du ciel l'enveloppa de sa clarté. Saul tomba par terre.

A cet instant, une voix se fit entendre : *"Saul, pourquoi tu me persécutes ?"*

Saul interrogea : *"Qui es-tu Seigneur ?"*

La voix répondit : *"Je suis Jésus, celui à*

qui tu veux du mal. Va à Damas et là on te dira ce que tu dois faire."

Pendant trois jours, Saul fut privé de la vue et il ne put ni manger ni boire. Alors, il se laissa guider par ses compagnons jusqu'à Damas.

A Damas, il y avait un disciple de Jésus du nom d'Ananie. Le Seigneur l'appela et lui dit : "Va donc trouver Saul et impose-lui les mains pour lui rendre la vue."

Ananie répondit : "Mais, Seigneur, cet

homme cherche à faire emprisonner tes fidèles !"

Alors le Seigneur lui dit : "Fais ce que je te dis ! Saul est celui que j'ai choisi pour annoncer la Bonne Nouvelle aux nations incroyantes. Je lui montrerai tout ce qu'il devra faire."

Ananie se mit en route et alla trouver Saul. Il lui imposa les mains en disant : "Saul, c'est Jésus qui m'envoie. Celui que tu persécutes. Maintenant, tu vas retrouver la vue et tu seras rempli de l'Esprit saint." A ces mots, des écailles tombèrent de ses

yeux et il retrouva la vue. Il reçut le baptême et put de nouveau se nourrir.

Aussitôt, Saul prit le nom de "Paul" et se mit à annoncer la Bonne Nouvelle dans toutes les synagogues, démontrant que Jésus est le Messie et le Fils de Dieu annoncé par les prophètes et attendu par tout le peuple.

LA MISSION DE PIERRE ET PAUL

Actes 10-12, 17

A Césarée, il y avait un centurion romain du nom de Corneille. C'était un homme juste et il priait souvent Dieu. Un jour, un ange de Dieu entra chez lui et lui dit : "Envoie tes hommes chercher Pierre à Joppé. Il habite une maison au bord de la mer." Corneille envoya à Joppé deux de ses serviteurs et un soldat.

Pendant qu'ils faisaient route, Pierre eut une vision. Il avait faim et vit tomber du ciel toutes sortes d'animaux. Une voix lui dit : *"Debout, Pierre, tue et mange."* Mais Pierre refusa prétextant qu'il ne voulait rien manger d'impur, selon la coutume des juifs. Le Seigneur lui dit : *"Cette nourriture n'est pas souillée, Dieu l'a purifiée !"*

Pierre cherchait la signification de cette vision.

Les hommes de Corneille se présentèrent chez lui. Il partit avec eux vers Césarée. Quand Pierre arriva chez Corneille, il dit à tous ceux qui étaient là : *"Vous savez que la Loi interdit à un Juif de parler à un étranger. Et pourtant vous m'avez fait venir."* Puis Pierre raconta la vision qu'il venait d'avoir. *"Dieu vient de me faire comprendre qu'il accueille les hommes justes quelles que soient leur race et leurs différences. Personne*

n'est impur aux yeux de Dieu."

Puis Pierre leur parla de Jésus, de la Bonne Nouvelle et de l'Esprit saint.

Touchés par l'Esprit, beaucoup de ceux qui l'écoutaient demandèrent le baptême

chrétien.

Lorsque Pierre fut de retour à Jérusalem, on lui reprocha d'être entré chez un étranger. Pierre se justifia en expliquant que Dieu accordait l'Esprit saint à tous les hommes.

Chaque jour, une foule considérable rejoignait l'Église de Jésus, dont Pierre était le chef. Alors, le roi Hérode voulut emprisonner Pierre pour le maltraiter. Il fut arrêté et jeté en prison. Toute son Église pria pour lui.

Une nuit, Pierre dormait entre deux soldats. Soudain, l'Ange du Seigneur vint lui rendre visite. Son cachot fut rempli de lumière. L'Ange libéra Pierre de ses chaînes et l'emmena hors de la prison

Tandis que Pierre agissait en Orient, Paul sillonnait le bassin méditerranéen.

La population d'Athènes avait l'habitude d'adorer et de servir toutes sortes de faux dieux et d'idoles. Cette attitude mettait souvent Paul en colère. Tous les jours, il partait annoncer la Bonne Nouvelle de Jésus aux passants, aux Juifs dans les synagogues et même aux philosophes de la ville. Certains se demandaient : *"Que veut-il dire ?"* D'autres pensaient : *"Il veut nous détourner de nos dieux en nous parlant des divinités étrangères."*

Un jour, les notables de la ville l'invitèrent à venir s'expliquer. Paul leur fit ce discours : *"Dans la ville, vous adorez toutes sortes de faux dieux. Moi, je viens vous parler du Vrai Dieu, celui qui a fait le monde. Il ne se fait pas servir, il donne la vie ! Dieu ne ressemble ni à l'or, ni à l'argent, ni à la pierre puisque nous sommes faits pour devenir comme lui. Il n'habite pas les temples mais le cœur des hommes."*

Mais, quand Paul leur parla de résurrection des morts, ils se moquèrent de lui.

Cependant, chaque jour le Seigneur augmentait le nombre de ceux qui étaient sauvés. La multitude des croyants n'avait qu'un seul cœur et qu'une âme. Nul ne jouissait égoïstement des biens qu'il possédait, mais ils mettaient tout en commun.

Avec une force étonnante, les apôtres rendaient témoignage de l'espérance qui étaient en eux.

Dans les communautés, nul n'était dans le besoin ; car tous ceux qui possédaient des terres ou des maisons les vendaient et déposaient le prix de la vente au pied des apôtres. On distribuait alors à chacun suivant ses besoins.

LES LETTRES DE SAINT PAUL

Romains 8, 1 Corinthiens 13, Galates 5, Ephésiens 3

Paul voyageait beaucoup et les longues distances l'empêchaient d'être partout présent. Alors, il écrivait aux différentes communautés chrétiennes.

A l'Église de Rome, il écrivit ceci :

"Si Dieu est avec nous, qui sera contre nous ? Il a livré son propre Fils pour nous sauver : comment pourrait-il ne pas nous donner, avec le Christ, tout ce dont nous avons besoin ? Qui pourra nous séparer de l'amour du Christ ? L'angoisse ? La faim ? Le danger ? Le supplice ? L'Écriture dit en effet que beaucoup de ceux qui annonceront la Bonne Nouvelle seront persécutés. Mais j'en suis sûr : ni la mort ni la vie, ni aucune créature, rien ne pourra nous séparer de l'amour du Christ."

Aux Corinthiens, il parla de la charité et de l'amour véritable :

"Il y a trois choses importantes : la foi,

l'espérance et la charité. La plus grande des trois, c'est la charité, l'amour vrai.

Si je ne suis pas charitable et si je n'aime pas les autres, il ne me servira à rien de parler toutes les langues de la terre.

De la même manière, il ne me servira à rien d'être très intelligent et de tout connaître au sujet de Dieu.

Il ne me servira à rien non plus de donner toute ma fortune aux pauvres.

Aimer veut dire : être patient, rendre service, ne pas être jaloux, ne pas se vanter, être honnête... Aimer c'est faire confiance à son

prochain, c'est aussi supporter avec gentillesse tout ce qui peut nous agacer chez lui...

L'amour durera toujours."

Paul enseigna les Galates au sujet de l'Esprit saint :

"Voici les dons de l'Esprit saint : l'amour, la joie, la paix, la patience, la bonté, la dou-

ceur, la foi, la bienveillance à l'égard d'autrui, la maîtrise de soi."

Il fit cette prière pour l'Église des Ephésiens :

"Parce qu'il donne la vie, que Dieu vous donne aussi sa puissance ! Que par son Esprit saint il vous fortifie ! Que Jésus, le Christ, habite en vos cœurs ! Enracinés dans l'amour, vous aurez la force de comprendre la Sagesse et toutes les choses de Dieu. Vous connaîtrez l'amour du Christ, qui est très grand, et votre désir d'infini – c'est-à-dire de Dieu – sera comblé."

L'APOCALYPSE SELON SAINT JEAN

Apocalypse 1, 21 et 22

Il est impossible de dire avec des mots humains le bonheur merveilleux que Dieu nous prépare dans l'au-delà. Il faut nous contenter d'images. Saint Jean reprend ici celle de Jérusalem, la cité sainte du peuple de Dieu. Mais une Jérusalem nouvelle, lumineuse, resplendissante de pureté, cité de Dieu et des hommes rassemblés dans l'unité de l'Amour pour les siècles des siècles.

L'Ange du Seigneur rendit visite à Jean. Il lui fit connaître le plan de Dieu au sujet du salut des hommes et de la fin des temps.

"Je suis l'Alpha et l'Oméga dit le Seigneur Dieu. Celui qui est, qui était et qui vient. Le Tout-Puissant. Le début et la fin de toute chose."

Jean raconta les visions qu'il eut : *"Je me trouvais dans l'île de Patmos quand je fus saisi par l'Esprit saint. Une voix se fit entendre : 'Ce que tu vois, écris-le dans un livre et envoie-le aux sept Églises : à Ephèse, Smyrne, Pergame, Thyatire, Sardes, Philadelphie et Laodicée.'*

"Alors que je me retournais pour voir qui me parlait, je vis sept chandeliers d'or. Vêtu d'une longue robe serrée à la taille par une ceinture d'or, le Christ se tenait au milieu des chandeliers. Sa tête et ses cheveux étaient aussi blancs que la neige. Ses yeux étaient comme une flamme ardente. Ses pieds semblaient être taillés dans un bronze précieux. Sa voix était douce comme celle des océans. Son visage brillait comme le soleil. Dans sa main droite, il tenait sept étoiles. Et de sa bouche sortait un glaive acéré à deux tranchants.

"Le Seigneur posa sur moi sa main et me dit : 'N'aie pas peur ! J'étais mort et maintenant je suis vivant pour toujours.'"

Le Seigneur lui demanda d'écrire cette vision et celles qui viendraient ensuite. Puis il lui expliqua : *"Les sept étoiles représentent les sept chefs des sept Églises. Les sept chandeliers sont les sept Églises."*

Au cours d'une autre vision, Jean raconta : *"Je vis un ciel nouveau et une terre* nouvelle. Notre ciel et notre terre d'aujourd'hui avaient disparu. Et il n'y avait plus de mer. J'ai vu descendre du ciel la cité sainte, la Jérusalem nouvelle. Elle était toute prête comme une fiancée pour son époux.

"Puis j'entendis une voix qui disait : 'C'est là que les hommes habiteront avec Dieu. Dans cette nouvelle demeure, la mort n'existera plus. Il n'y aura ni pleurs, ni cris, ni tristesse.'

"Alors un ange m'entraîna sur une haute montagne ; il me montra la cité sainte, la Jérusalem nouvelle. Elle brillait comme une pierre très précieuse parce qu'elle était remplie de la gloire de Dieu.

"Elle avait une haute muraille avec douze portes gardées par douze anges. Les noms des douze tribus des Fils d'Israël y étaient inscrits. La muraille de Jérusalem reposait sur douze fondations portant les noms des douze apôtres.

"Dans la cité, il n'y avait pas de temple. Car le temple, c'est Dieu lui-même.

"Puis l'ange me montra l'eau de la vie : un fleuve transparent comme du cristal !

Au milieu de la place de la cité, il y avait un arbre de vie produisant douze récoltes. Chaque mois, il donne du fruit et son feuillage guérit les nations païennes.

"Dieu régnera dans la ville et tous les hommes verront son visage. La nuit n'existera plus et les hommes n'auront plus besoin de la lumière du soleil. Le Seigneur Dieu les illuminera. Les hommes vivront pour toujours !

"Alors je vis une foule immense de gens de toutes races et de tous pays. Ils étaient rassemblés devant le Seigneur. Et j'entendis une immense acclamation :

Alléluia !

Louange à Dieu !

Réjouissons-nous !

Crions notre joie et notre bonheur !

"Et j'entendis Dieu qui disait :

'Plus rien ne pourra nous séparer. J'essuierai toute larme de vos yeux. Il n'y aura plus ni souffrance ni mort, car je fais un monde nouveau !'"